だいわ文庫

# スタンフォードの自分を変える教室

ケリー・マクゴニガル＝著
神崎朗子＝訳



大和書房

The Willpower Instinct
by
Kelly McGonigal, Ph.D.


This edition published by arrangement with Avery,
an imprint of Penguin Publishing Group,
a division of Penguin Random House LLC
through Tuttle-Mori Agency, Inc., Tokyo

本書は2012年10月に小社より刊行した
『スタンフォードの自分を変える教室』を文庫化したものです。

誘惑や依存症に苦しんだり
物事を先延ばしにしたり
やる気が出なかったりして
困った経験のある方々
――つまり、すべての人――
に本書を捧げます。

目次

## 第2章　意志力の本能
### ——あなたの体はチーズケーキを拒むようにできている

## 第3章 疲れていると抵抗できない
### ――自制心が筋肉に似ている理由

# 第4章 罪のライセンス
## ——よいことをすると悪いことをしたくなる

## 第5章　脳が大きなウソをつく
### ——欲求を幸せと勘ちがいする理由

## 第6章 どうにでもなれ

### ――気分の落ち込みが挫折につながる

# 第8章　感染した！

## ――意志力はうつる

## 第9章 この章は読まないで
### ——「やらない力」の限界

# Introduction
# 「自分を変える教室」へようこそ
## ――意志力を磨けば、人生が変わる

「意志力の講座を教えています」と言うと、まるで決まったように同じ答えが返ってきます。「ああ、私もどうにかしたくて」。つまり、それだけ多くの人が、意志力――注意力や感情や欲望をコントロールする能力――が、健康や経済的安定や人間関係、そして仕事の成功までも左右することを実感しているということでしょう。

そう、誰だってそれはわかっているのです。だからこそ、食事や行動や言動、それに買い物をはじめ生活のあらゆる面において、自分をコントロールしなければならないということも。

にもかかわらず、たいていの人は自分のことを「意志力が弱い」と感じています。うまく自分をコントロールできたかに思っても、すぐに流され、自分を抑えられなくなってしまいます。米国心理学会によれば、目標を達成できない最大の原因としてアメリカ人が最も多く挙げているのが、この「意志力の弱さ」なのです。

私はスタンフォード大学の医学部健康増進プログラム担当の健康心理学者および教育者として、みなさんがストレスと上手に付き合い、健康的な選択をするためのお手伝いをしています。長年にわたって、多くの人が自分の考えや感情、体や習慣を変えようとして苦労している姿を見てきましたが、そのうちあることに気がつきました。意志力に関する思い込みの多くが、成功を妨《さまた》げ、不要なストレスを生んでいるのです。

そうしたことをきっかけに、私は「意志力の科学」という講座を立ち上げました。スタンフォード大学生涯教育プログラムの公開講座です。

この講座では、心理学、経済学、神経科学、医学の各分野から、自己コントロールに関する最新の見解を取り上げ、「どうしたら悪い習慣を捨てて健康的な習慣を身につけられるか」「物事をぐずぐずと先延ばしにしないようになれるか」また、「集中すべき物事を決め、ストレスと上手に付き合うにはどうしたらよいか」を説明します。

そして、「私たちはなぜ誘惑に負けてしまうのか」「どうしたら誘惑に打ち勝つ強さを身につけられるのか」を解き明かしていきます。

また、自己コントロールの限界を理解することの重要性を説き、「意志力を鍛えるための最適な方法」を紹介します。

## 科学と実践から導き出された見解

うれしいことに、「意志力の科学」はまたたく間にスタンフォード大学生涯教育プログラムの講座のなかでも、指折りの人気講座になりました。受講生の数がどんどん増えて、第1期のあいだに4回も教室を変更したほどです。

しまいには、スタンフォード大学でいちばん大きな講堂のひとつが、企業の役員や教師、スポーツ選手、医療従事者をはじめ、意志力に興味をもつさまざまな人びとで埋め尽くされてしまいました。さらに、受講生たちは自分の経験を分かち合おうとして、配偶者や子供や同僚までも連れてくるようになりました。

私は、この講座はそんな幅広い層の受講生の役に立つだろうと考えていました。禁煙したい、体重を減らしたい、借金をきれいにしたい、もっとよい親になりたいなど、みなさんそれぞれに目標をもって授業に臨みました。しかし、その成果にはこの私でさえ驚いてしまいました。

講座が始まって4週間後のアンケート調査で、なんと97パーセントの受講生が、自分自身の行動を以前よりもよく理解できるようになったと感じ、84パーセントの受講生が、授業で学んだ方法のおかげで以前よりも意志力が強くなったと回答したのです。

講座が終わるころには、受講生たちは自分の体験談をこぞって語ってくれました。「30年以上も悩んでいた甘い物中毒を克服できた」「滞納していた税金をとうとう支払った」「子供たちに対して怒鳴らなくなった」「挫折《ざせつ》しないでエクササイズを続けられるようになった」などさまざまでしたが、みなさんに共通していたのは、自分のことが以前よりも好きになり、自らの行動を自らの意志でしっかりと選択できるようになったということです。

講座修了時には「人生を変える授業だった」という感想が寄せられました。受講生たちの意見は一致していました。それは、「意志力の科学」を理解したことによって、自己コントロールを伸ばす方法がわかり、自分にとって最も重要なことを追求する強さを育むことができたということ。

授業で示した科学的な見解は、アルコール依存症から立ち直ろうとしていた人にもメール依存症の人にも役に立ち、自己コントロール方法は、チョコレートやテレビゲームにショッピング、はたまた職場の既婚者など、ありとあらゆる誘惑に打ち勝つのに役立ったわけです。

もちろん、誠実な教師なら誰もがそう言うと思いますが、私も受講生から多くのことを学びました。私が科学上の驚くべき発見について長々と熱弁をふるいながら、それが意志力の問題とどう関わっているのかをうっかり話し忘れたりすれば、受講生たちは教室のあちこちで船をこいでいました。

そのいっぽうで、授業で紹介した方法について、実際の生活ではどの方法が効果的だったか、あるいはうまくいかなかったか（臨床検査だけではわからないことです）を、受講生たちはいち早く報告してくれました。そして週ごとの課題をこちらがはっとするような視点でとらえ、抽象的な理論を日常生活に役立つルールへと落とし込むためのさまざまな新しい方法を示してくれました。

本書は、「最も優れた科学的な見解」と、講座で行なった「実践的なエクササイズ」を融合したものであり、最新の研究に加えて、これまでに講座を受講した何百人もの受講生たちの叡智《えいち》が結集しています。

## 「自分はどう失敗するのか」を知る

行動変革に関する本の大半は――新しいダイエット法の紹介であれ、経済的自由への手引きであれ――読者に目標設定をすすめ、さらにその目標を達成するためにはどうすべきかを説いています。しかし、自分が変えたいと思っていることを自覚するだけで事足りるなら、誰もが新年に立てる目標はことごとく達成され、私の教室は空っぽになっているはずです。

そうではなく、「やるべきことはよくわかっているはずなのに、なぜいつまでもやらないのか」ということを理解させてくれるような本はほとんど見当たりません。

自己コントロールを強化するための最もよい方法は、自分がどのように、そしてなぜ自制心を失ってしまうのかを理解することだと私は考えています。

自分は意志力が強いと思っている人ほど、誘惑を感じた場合に自制心を失いやすいことが研究でわかっています。たとえば、禁煙を続ける自信が満々な人ほど、4カ月後にはまた吸っている可能性が高かったり、「ダイエットなんてかんたん」とたかをくっている人ほど体重が落ちなかったりするのです。

なぜでしょうか？

それは、どういうときに、どういう場所で、どうして失敗するのかということを、自分自身でちゃんとわかっていないからです。

そういう人ほど、よせばいいのにタバコを吸う人と一緒に出かけたり、家じゅうにクッキーを置いたりして、わざわざ自分の身を誘惑にさらすようなまねをします。そして、そういう人にかぎって、失敗すると「まさか」とばかりにショックを受け、ちょっとうまくいかないだけで目標の達成をあきらめてしまうのです。

自分を知ることは、自己コントロールへの第一歩です。

そのため本書では、意志力の問題で誰もがつまずきがちな失敗例を紹介しています。各章において、自己コントロールに関するあやまった認識を取り払うことにより、読者のみなさんがご自分の意志力の問題を新しい方法でとらえられるように導きます。それぞれの失敗例については、細かい分析を行ないます。

つまり、「私たちはどういうときに衝動に負けたり、やるべきことを先延ばしにしたりするのか」「失敗の原因は何なのか」「重大なまちがいはどこにあり、なぜそんなまちがいを犯してしまうのか」ということです。

そしてこれが最も大事なことですが、将来の自分を悲惨な運命から救う方法を模索していきます。自分の失敗のパターンを知り、それを成功への戦略に変えるには、どうすればよいのでしょうか。

本書を読み終えるころには、みなさんは少なくとも、欠点こそあれどいかにも人間らしいご自分の行動をよく理解できるようになっているでしょう。「意志力の科学」が明らかにすることのひとつは、人間は誰でも誘惑や依存症に苦しんだり、気が散ったり、物事を先延ばしにしたりして、悩んでいるということです。そういうことはいずれも個人の能力不足を示しているわけではありません。誰もが経験していることで、人間なら当たり前とすらいえることなのです。

意志力の問題に悩むみなさんが本書をお読みになり、これはすべての人に共通の悩みなのだと気づいてくだされば、それだけでもうれしいことです。けれども、私は本書がそれ以上にみなさんのお役に立つことを期待しています。本書で紹介する方法によって、みなさんがご自分の人生に、付け焼刃ではない本物の変化をもたらしてくださることを願っています。

## 本書の使い方――「科学者」として自分を観察する

私は科学者になるための教育を受けましたが、そのなかで最初に学んだことのひとつは、理論がいくら優れていようと事実（データ）に勝るものではないということでした。ですから、みなさんもどうぞ本書を読みながら実験を行なってください。自己コントロールに対する科学的なアプローチは、なにも研究室のなかだけで行なうべきものではありません。みなさんは生活のなかで自分を研究対象にすることができるのであり――ぜひともそうしていただきたいのです。

本書を読み進めながらも、私の言葉をうのみにはしないでください。まず、私がポイントを説明し、それに対する根拠を述べますので、みなさんはそれを生活のなかで試してみてください。そのような実験の結果を見ながら、自分にはどの方法が適しており、どれが効果的なのかを発見してください。

各章には、意志力の科学者になるための2種類の課題が用意されています。ひとつは「マイクロスコープ（顕微鏡）」です。このコーナーは、その章で説明するポイントが、みなさんの生活にも当てはまることに気づいていただくためのものです。何かを変えようと思ったら、まずは現状をありのままに見つめる必要があります。そこで、自分が最も誘惑に負けやすいのはどんなときか、あるいは空腹がいかに財布のひもをゆるめるか、といったことにも注目します。

また、自分で取り組むことに決めた意志力のチャレンジについて、ぐずぐずと先延ばしにしてしまう場合も含め、自分に対してどんな言い訳をしているか、そして意志力が弱くて失敗したとき、あるいは意志力のおかげで成功したときは、自分自身でどのように評価しているか、ということにも意識を向けていきます。さらに、フィールドスタディもいくつか行なっていただきます。たとえば、小売店が客の自制心を弱らせるために、店内のデザインにどんな工夫をこらしているかを探ってみるなどです。

このような課題を行なうときには偏見をもたず、好奇心でいっぱいの観察者になってください――顕微鏡をのぞいている科学者のように、何か素晴らしいもの、有益なものが見つかるのではないかと胸をときめかせながら。

もうひとつの課題は「意志力の実験」で、これも各章に出てきます。このコーナーに登場するのは、科学的な研究や理論に基づいて自己コントロールを強化するための実践的な戦略です。意志力を強化するためのこれらの方法は、すぐに実生活における問題に応用することができます。

どうか、どの戦略に対しても偏見をもたないようにしてください。たとえ直観的に好きになれないものがあっても（たくさんあるはず）です。どの方法も講座の受講生によってテスト済みであり、すべての戦略が必ずしも全員に効果があったわけではないにしても、多くの受講生が効果が高いと認めた戦略ばかりです。

このコーナーの実験は、悪い習慣から抜け出し、以前から手を焼いている問題に新たな解決策を見つけるのにたいへん効果的です。いろいろな方法を試して、どの方法が最も自分に役立つかをそのつど見直していきましょう。

これは試験ではなく実験ですから、うまくいかなくてもかまいません。たとえ科学によって推奨されていることとは逆のことをしたくなってもかまわないのです。

自分の学んだ方法を友人や家族や同僚にも試してもらい、他の人にはどの戦略が効果的なのかを知るのもよいでしょう。どんなケースにも学ぶべきことがあるはずで、それを生かして自己コントロールを強化するための自分自身の戦略を磨くことができます。

本書を最大限に利用するには、自分の取り組みたい意志力の問題を具体的に1つ決め、本書で紹介する方法を1つずつ試していくことをおすすめします。

あなたが取り組むべき意志力の問題は、やるべきことをやらないことでしょうか（これを「やる力」のチャレンジと呼びます）、それとも、やめたいと思っている習慣でしょうか（こちらは「やらない力」のチャレンジ）。

あるいは、あなたがもっとエネルギーを注いで集中したいと思っている、人生において最も重要な目標に取り組んでもかまいません（こちらは「望む力」のチャレンジ）――たとえば、健康状態の改善やストレス管理でもいいでしょうし、親としてのスキルやキャリアを磨くことでもいいのです。

気が散ったり、誘惑にまどわされたり、衝動を感じたり、物事を先延ばしにしたりするのは、人間なら誰もが悩む問題ですから、どのような目標を選んだとしても、本書で紹介する戦略が役に立つはずです。

この本を読み終えるころには、あなたは自分自身の問題を以前よりも深く見抜けるようになり、自己コントロールのための新たな方法を見いだしているでしょう。

## 1つの章からは1つの戦略のみ実行する

本書は10週間の講座を受講するようなかたちで構成されています。したがって全部で10章ありますが、各章では重要なポイントを1つ取り上げ、その科学的な根拠を説明し、それをどうやってあなたの目標の達成に役立てるかについて説明します。

各章のポイントと戦略には密接なつながりがあるため、各章で学ぶことが次の章に進むための準備にもなります。

この本じたいは週末のあいだに読み終えてしまうかもしれませんが、戦略を実践する際は適度なペースで行なうようにしてください。講座の受講生たちは、各週に学んだポイントを自分たちの実際の生活でどのように生かせるかを、まる1週間かけて試します。自己コントロールのための新しい戦略を毎週1つずつ試し、どの戦略が最も効果があったかについて報告するのです。

読者のみなさんも、これと同じような方法を取ってください。とくに、体重を減らすとか、お金の管理をきちんとするとか、具体的な目標に取り組む場合はなおさらです。

あせらずに時間をかけて実践的なエクササイズに挑戦し、結果をふり返ってください。

各章につき1つの方法を選ぶようにし、いっぺんにたくさんの方法を試すのはやめておきましょう。

何か変化を起こしたいときや目標を達成したいときは、いつでも本書の10週間トレーニングを利用してください。受講生のなかには講座を何度も受講し、そのつど別の意志力のチャレンジに取り組んだ人たちもいます。

でも、まずはとりあえず本書をひと通り読んでみたいということでしたら、どうぞそうなさってください。そのときは、途中に出てくるエクササイズを全部まじめにやろうとして考え込まなくてもいいのです。ただ、おもしろそうだと思ったものをメモしておき、あとで本書のポイントを実践する際に試してみてください。

## 最初の課題

それでは、最初の課題です。

「意志力の科学」の世界へ旅立つにあたって、あなたが取り組みたい課題を1つ選んでください。

それがすんだら、第1章でお会いしましょう。そして、一緒に歴史をさかのぼり、意志力と呼ばれるものがいったいどのようにして生まれたのか——そして、どうしたらもっと強化できるのかを探っていきたいと思います。

## マイクロスコープ　あなたの「チャレンジ」を選んでください

取り組みたい問題がすぐに決まらない場合は、本書を読みながら自分でも試してみたいと思った戦略が使えそうな課題を選んでみましょう。

次の質問を参考に、あなたが取り組みたいチャレンジを見つけてください。

**・「やる力」のチャレンジ**

これをすれば生活の質が向上することがわかっているので、もっとちゃんと取り組みたい、あるいは先延ばしせずに実行したいと思っていることがありますか？

**・「やらない力」のチャレンジ**

どうしてもやめられない習慣がありますか？　健康を害し、幸福や成功の邪魔になるのでやめたい、あるいは減らしたいと思っていることがありますか？

**・「望む力」のチャレンジ**

あなたがもっとエネルギーを注ぎたいと思っている、最も重要で長期的な目標は何でしょうか？　また、そのような目標に向かおうとするあなたの気をそらし、誘惑し、遠ざけてしまうような目先の欲求とは何でしょうか？

# 第1章
# やる力、やらない力、望む力
## ――潜在能力を引き出す3つの力

意志力を要することといえば、まっさきに思い浮かぶのは何でしょうか？　たいていの人にとって、意志力が試される典型的なケースは、誘惑に打ち勝つことでしょう。たとえばドーナツやタバコやクリアランスセール、あるいは一夜かぎりの恋など、あなたを誘惑するものはさまざまです。

そんな場面で問われるのは、「やらない力」です。

しかし、意志力はノーと言うだけがすべてではありません。明日こそ（いや、いつかきっと）やろうと思いながら、ずっと先延ばしにしていることはありませんか？　そういうことも、意志の力が強ければちゃんと今日の〝やることリスト〟に加えられます――たとえ心配ごとや気の散るようなことがあったり、延々と続くテレビのリアリティ番組に目が釘づけになっていたりしても。

そんな場面で問われるのは「やる力」です。面倒だなと思いながらも、自分のやるべきことをやる力のことです。

「やる力」と「やらない力」は、自己コントロールのふたつの側面を表していますが、意志力はそのふたつだけでは成り立ちません。ノーと言うべきときにノーと言い、イエスと言うべきときにイエスと言うためには、もうひとつの力、すなわち、自分がほんとうに望んでいることを思い出す力が必要なのです。

「だけど、私がほんとうに欲しいのはあのブラウニー（3杯めのマティーニ、1日の休暇）なのに！」という、あなたの声が聞こえてきそうです。でも、誘惑に目がくらみそうになったり、物事を先延ばしにしたくなったりしたら、あなたがほんとうに望んでいるのは、スキニージーンズをはけるようになること、昇進すること、クレジットローン地獄から抜け出すこと、離婚（もしくは刑務所入り）を避けることだと、思い出さなければなりません。

そうでなければ、誘惑を目の前にしながら、どうやって踏みとどまれるでしょうか？このように自制心を発揮するには、肝心なときに自分にとって大事なモチベーションを思い出す必要があります。これが「望む力」です。

意志力とはつまり、この「やる力」「やらない力」「望む力」という3つの力を駆使して目標を達成する（そしてトラブルを回避する）力のことです。これから見ていくように、私たち人類は幸運にも、こうした能力を備えた脳を授かることができました。実際、この3つの力――「やる力」「やらない力」「望む力」――こそが、人間とは何かを定義するものとさえ言えるかもしれません。

なのになぜ、私たちはこうした力をうまく使いこなせないのか、という意地悪な分析に取りかかるまえに、まずはこのような力を与えられた幸運に感謝したいと思います。

では、いまから脳のなかをちょっぴりのぞき、どこで魔法が起きるのかを確かめましょう。それによって、意志力を強くするために脳を鍛える方法が見えてきます。

## 本能に流されずに生き抜く

さあ、想像してください。時代をさかのぼること10万年前、あなたは進化の先端をいく、最も優秀なホモサピエンスです。まずはじっくりと、他の4本の指とは反対を向いた親指や、まっすぐな背骨や舌骨《ぜっこつ》（ある種の音声を出すのに必要だそうですが、あいにくどんな音だか見当もつきません）の素晴らしさを堪能《たんのう》してください。そのうえ、（火ダルマにならずに）火を使う能力や、切れ味の鋭い石器で水牛やカバの肉を切り分ける技も心得ています。

このほんの数世代前までは、生きていくうえで重要なことはごくわずかでした。①食べ物を見つける。②繁殖する。③人食いワニとの遭遇を避ける。しかし、いまやあなたは密接な結びつきをもつ部族のなかで暮らしており、生き残っていくためには、仲間のホモサピエンスの力を借りなければなりません。つまり、「他人を激怒させないようにすること」が生き残るための心得に加わったのです。

共同体で生きていくにはみんなで協力し、資源を分かち合わなければなりません。欲しいからといって、何でも好き勝手に手を出すわけにはいかないのです。もし誰かの水牛バーガーやパートナーを盗み取ったりしたら、集団から追い出されるか、悪くすれば殺されてしまうかもしれません。少なくとも、たとえ病気やケガをしても、あなたのために狩りをしたり、木の実を取ってきてくれたりする人はいなくなるでしょう。

石器時代であっても、友情を勝ち取り、周囲への影響力をもつためのルールは、現代とさほど変わりません。住処《すみか》に困っている仲間がいれば一緒に住まわせてやり、空腹でも食べ物を分かち合い、「そのふんどし、なんか太って見えるね」などとうっかり余計なことを言わないようにする。言い換えれば、自制心が少々必要なわけです。

危険にさらされるのは、あなたの命だけではありません。部族が生き残れるかどうかは、あなたが闘う相手や、結婚する相手（いとこはやめておきましょう――ひとつの病気で部族全体が死に絶えたりしないように、遺伝的多様性を強化しなければなりません）を賢く選べるかどうかにかかっています。

もし幸運にもパートナーが見つかったら、茂みに隠れてたった一度お楽しみにふけるだけではなく、次の世代に命をつなぐことが求められます。そんなわけで、時代は変われど現生人類のあなたも、食欲や攻撃やセックスをはじめとする、古代から脈々と受け継がれてきた本能のせいで、思いもかけない窮地に立たされる可能性はいくらでもあるのです。

このようにして、私たちが意志力と呼んでいるものが初めて必要になりました。歴史が進むにつれ、人間社会はますます複雑になり、それに合わせて自制心の強化も求められるようになりました。

集団に属し、協力し、長期的な関係を維持する必要に迫られた原始人は、それこそ脳みそをふりしぼって、自己コントロールの方法を考えようとしました。そうした必要に迫られた結果、人間は現在のような進化をとげたのです。

脳は必要性に応えて進化し、私たちはついに「意志力」を手に入れました。いかにも人間らしい衝動をコントロールするための力です。

## 出世も勉強も寿命も「意志力」が決める

では、現代へと戻りましょう（進化した親指はそのままでどうぞ、でも服はもうちょっと身につけたほうがいいかもしれません）。かつて人類と他の動物を区別していた意志力は、いまや人間同士のあいだに差をつけるものとなりました。

意志力は誰にでも生まれつき備わっているはずですが、なかにはとりわけ意志力の強い人もいます。注意力や感情や行動をうまくコントロールできる人は、いろいろな点で優れているようです。まず、何といっても健康で幸せ。パートナーとの関係も良好で長続きします。収入も高く、出世します。ストレスや争いごとがあってもうまく乗り切り、逆境にもめげません。さらには、寿命も長いのです。

さまざまな長所と比較しても、意志力に勝るものはないほどです。学業で成功するかどうかは、知力よりむしろ意志力しだいですし、優れたリーダーシップを発揮できるかどうかも、カリスマ性より意志力が決め手です。それに何といっても、結婚がうまくいくかどうかは、思いやりよりも意志力にかかっています（そう、結婚を長続きさせる秘訣は、よけいな口を利かないことかも）。

ですから、生活を改善したいのなら、意志力の問題から始めるのは悪くありません。そのためには、私たちの頭のなかに収まっている脳のことを、もう少し知っておく必要があります。さっそく、どんなふうになっているのか見てみることにしましょう。

## 前頭前皮質があなたをコントロールする

現代の私たちがもっている意志力は、大昔の人間たちが仲間とうまく付き合い、親やパートナーとしてやっていくために、必要に迫られて身につけた能力です。しかし、そのために人間の脳はどのように進化したのでしょうか？　その答えは前頭前皮質、つまり、ちょうど額《ひたい》と目の後ろに位置する脳の領域の発達にあるようです。

進化の歴史が始まって以来、前頭前皮質のおもな役割は体の動きをコントロールすることでした。歩いたり、走ったり、手を伸ばしたり、押したり――いわば自己コントロールの原型みたいなものです。

人類が進化するにつれて前頭前皮質は大きくなり、脳の他の領域との連携もよくなりました。いまや人間の脳において前頭前皮質の占める割合は、他の生物に比べて大きくなっています（あなたのワンちゃんは老後に備えてエサを蓄えておくなんてことはしないでしょう）。前頭前皮質が大きくなるにつれ、新しいコントロール機能が増えました。注意を払うべきこと、考えること、そして感じることまでもコントロールする機能です。これによって、人間は行動をコントロールできるようになりました。

スタンフォード大学の神経生理学者ロバート・サポルスキーは、現代の前頭前皮質のおもな役割は、脳に——つまり、あなたに——やるべきことをやるように仕向けることだと言っています。

ソファでごろごろしているほうがラクなのに、前頭前皮質の働きで、あなたは起き上がってエクササイズをしたくなります。デザートを食べたいと思っても、あなたの前頭前皮質はお茶だけで我慢するべき理由を忘れたりしません。あのプロジェクトは明日にしようと思っても、前頭前皮質のなせるわざで、あなたはファイルを開いて仕事に取りかかるのです。

前頭前皮質は灰白質《かいはくしつ》からなる1つの塊ではなく、おもに3つの領域に分かれており、それぞれが「やる」「やらない」「望む」の各働きを受け持っています。前頭前皮質の上部左側の領域は「やる力」をつかさどっています。そのおかげで、退屈な仕事や難しい仕事、あるいはストレスの多い仕事でも、ちゃんと着手して、やり続けることができます。

反対の右側は「やらない力」をつかさどっており、衝動や欲求を感じてもすぐに流されないようにします。そのおかげで、運転中に携帯のメールを見たくなっても我慢して、わき見運転をせずにいられるのですから、ありがたいことです。これら2つの領域は、ともにあなたの行動をコントロールしています。

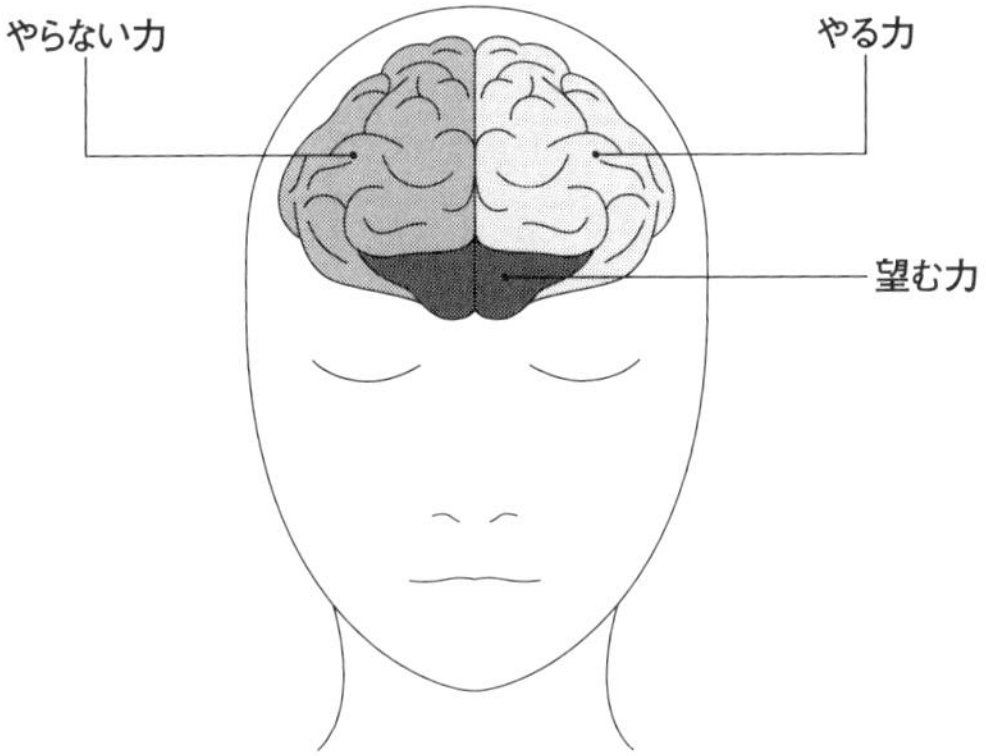


意志力をつかさどる脳の領域

3つめの領域は、前頭前皮質の中央の少し下のほうに位置しており、あなたの目標や欲求を記録する場所です。これによって、あなたの「望むこと」が決まります。

この部分の細胞が即座に反応すればするほど、行動を起こしたり、誘惑をはねのけたりするモチベーションが上がります。

前頭前皮質のこの領域は、あなたがほんとうに望むことを忘れません。たとえ脳の残りの領域が「食べちゃえ！　飲んじゃえ！　吸っちゃえ！　買っちゃえ！」と叫んだとしても、忘れたりしないのです。

## マイクロスコープ　できない理由を特定する

意志力が問われる問題では、誘惑に背を向けるにせよ、ストレスの多い状況で踏みこたえるにせよ、困難なことを迫られます。

あなた自身が改善したいと思っている、具体的な意志力の問題に直面している場面を想像しましょう。その場合、あなたのやるべきことは何でしょうか？　それを行なうのはなぜ難しいのでしょう？　それを行なうことを考えると、どんな気持ちになりますか？

### 脳は1つでも「自分」は2人いる

意志力が働かないとき——浪費したり、食べ過ぎたり、時間をむだにしたり、かっとなったり——そんなときは、自分の脳には前頭前皮質なんてないんじゃないか、と疑いたくなるかもしれません。
もちろん、誘惑に打ち勝つことも不可能ではないでしょうが、必ずしもできる保証はありません。面倒だから明日にしたいことを今日じゅうに片づけることだってできなくはないはずですが、たいていは明日になってしまいます。

この何ともどかしいありさまには、人類の進化の仕方がおおいに影響しています。人類が進化するにつれて脳も大きくなりましたが、脳の中身が一変したわけではありません。進化は何もないところから始まるのではなく、すでに存在するものに付け足すかたちで起こります。ですから、人類にとって新しいスキルが必要になったときも、原始的な脳から新しいモデルの脳にがらっとチェンジしたのではなく、衝動と本能のシステムがすでに存在するところへ、自己コントロールのシステムが付け加えられたのです。

つまり、かつて役に立っていた本能は、人類が進化したいまもそのまま残っているということ。けれども、そのせいで問題にぶつかったとしても、進化したおかげで、それに対処する方法も与えられています。

ひとつ例をあげるなら、太りやすい食べ物に感じる悦《よろこ》びをめぐる問題。

かつて食料が乏しく、体脂肪を蓄えることが命の保証となった時代には、甘い物に目がないおかげで生き延びるチャンスが増えました。しかし、ファーストフードやジャンクフードがあふれ、大型スーパーがどこにでもある現代では、食べ物があり余っています。太っていることは命を保証するどころか健康上のリスクとなります。長い人生を生き抜くには、魅惑的な食べ物に手を出さないほうが重要になっているほどです。なのに、遠い祖先の役に立っていたという理由で、私たち現代人の脳には、脂肪と糖分を求めてやまない、太古からの本能がいまだに備わっています。

しかし、私たちは幸運にもあとからできた自己コントロールのシステムを利用して、欲望を抑え、お菓子に手を伸ばさないようにすることができます。つまり、衝動じたいはなくならないとしても、私たちには衝動を抑制する機能が備わっているわけです。

神経科学者のなかには、私たちには脳は1つしかないが心は2つある、と言う人さえいるほどです――あるいは、私たちの心のなかには2つの自己が存在するのだと。つまり、一方の自己が衝動のままに行動して目先の欲求を満たそうとするいっぽう、もう一方の自己は衝動を抑えて欲求の充足を先に延ばし、長期的な目標に従って行動します。

そのどちらも自分であり、私たちは2つの自己のあいだを行ったり来たりしています。やせたいと願う自分になるかと思えば、クッキーが食べたくてたまらない自分になってしまいます。

意志力の問題とは、このことなのです。

あるものを欲しいと思いながら、同時にまったく別のものを望んでいる。もしくは、いまの自分はあるものが欲しい、けれども、やめておいたほうが将来の自分のためになる。

そんなふうに2つの自己が対立すれば、一方がもう一方をねじ伏せるしかありません。しかし、誘惑に負けてしまうほうの自己が悪いわけではありません。最も大事なのは何かということについて、考え方が異なるだけなのです。

マイクロスコープ　もうひとりの自分に名前をつける

意志力の問題は、いずれも2つの自己のせめぎ合いから生じます。あなた自身の意志力の問題について、対立する2つの自己のことを考えてみましょう。衝動的な自分は何を望んでいるのでしょうか？　もっと賢い自分は何を望んでいるのでしょうか？　衝動的な自分にあだ名をつけるのが効果的だという人もいます。

たとえば、目先の欲求を満たそうとばかりする自分には「クッキーモンスター」とか、文句ばかり言ってしまう自分には「やかまし屋」とか、いつも腰の重い自分には「なまけもの」とか。そうやっておかしなあだ名をつけてみると、そういう自分になりかけたときにはっと気づいたり、賢いほうの自分を呼び覚ましたりするのに役立ちます。

## 本能を目標達成に利用する

こういうことを言うと、自己コントロールのシステムのほうは比べようもないほど優れている「自己」で、原始的な本能のほうは進化の歴史に取り残された過去の遺物にすぎないと思ってしまいそうです。

二足歩行もままならなかった大昔なら、原始的な本能も、サバイバルに勝ち抜いて遺伝子を残すために役立ったことでしょう。けれども、いまとなっては邪魔なだけで、そのせいでかえって健康を損ねたり、貯金を使い果たしたり、セックス・スキャンダルですっぱ抜かれて全国ネットのテレビ中継で謝罪するはめになったりしかねません。文明人の私たちに、大昔の祖先の本能なんか残っていなくてもいいのに、と思ってしまいます。

しかし、そうは問屋がおろしません。本来サバイバルのために働くべきシステムが、現代の私たちにとっては必ずしもありがたい存在とは言えなくても、原始的な自己を完全になくすべきだと考えるのはまちがいです。

脳への損傷によってそのような本能を失った人びとに関する医学的研究の結果を見れば、人間のもつ原始的な恐れや欲望が、健康や幸福、さらには自己コントロールにとって、どれほど重要であるかがわかります。最も奇妙な例としては、若い女性の発作をとめるための脳の手術の際に、中脳の一部を損傷してしまったケースがあります。

その結果、どうやらその女性は、「恐怖」や「嫌悪」を感じなくなってしまったようでした。つまり、自制にとって最も重要な2つの本能を失ってしまったのです。すると彼女は気分が悪くなるまでドカ食いしたり、あろうことか、父親や兄弟にたびたび性的な誘いをかけたりするようになってしまいました。こうなっては、とても自己コントロールどころではありません！

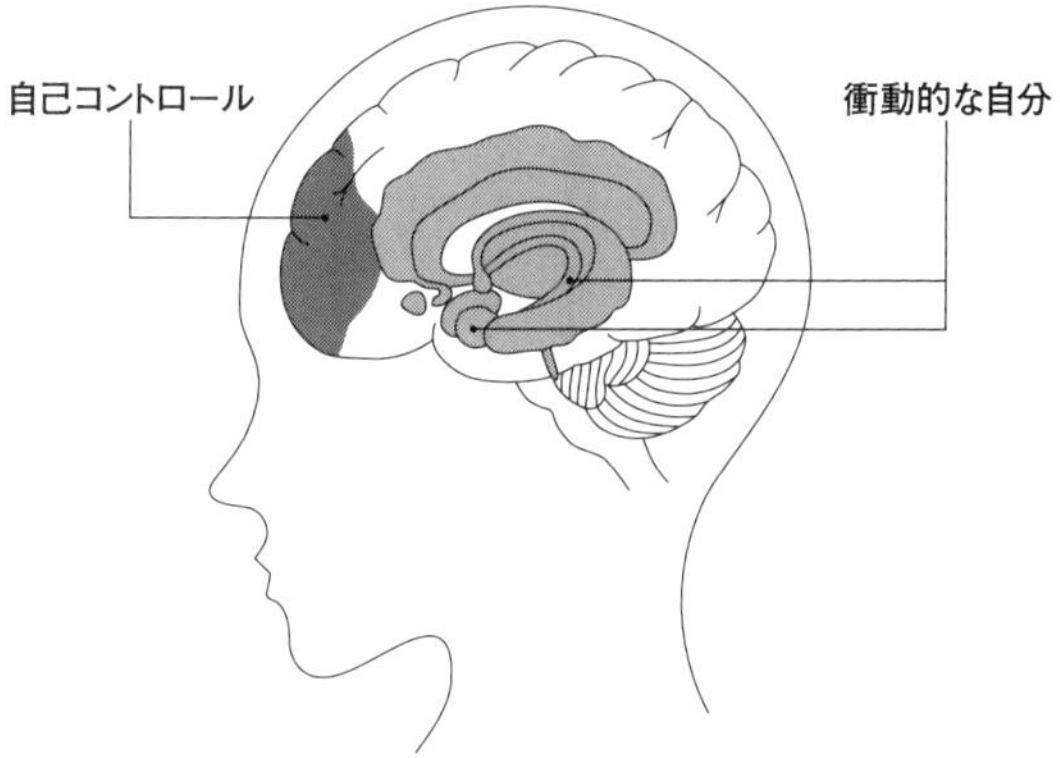


2つの自己のせめぎあい

　本書にもさまざまな例が出てくる通り、私たちは欲望を失えば憂うつになり、恐怖を感じなくなれば危険から身を守れなくなります。意志力のチャレンジで成功することは、そうした原始的な本能に抗《あらが》うのではなく、むしろ利用できるようになることでもあります。

　神経経済学者たち（私たちが意思決定をするとき、脳で何が起きるかを研究する科学者たち）は、自己コントロールのシステムとサバイバル本能は、必ずしも相反するものではないことを発見しました。

　ときには、この2つが協力し合って、私たちがよい決断をするために役立っているのです。たとえば、あなたはデパートの店内を歩いているとしましょう。すると、とっても素敵なものが目にとまりました。あなたの脳の原始的な部分が叫びます。「買っちゃえ！」値札を見ると、なんと199・99ドル。そんなとんでもない値段を見るまえに、前頭前皮質に活躍してもらって、物欲をしぼませておくべきでした。

けれど、もし、その衝撃の値札に対して脳が疼痛《とうつう》反応を起こすとしたらどうでしょう？研究によれば、実際にそういう反応が起きるのです。脳はそのバカ高い値札を、腹に食い込んだパンチのように認識します。そんな本能的なショックのおかげで、前頭前皮質の仕事はすっかりラクになり、あなたは「やらない力」をふりしぼる必要さえありません。

意志力を強化するためには、いかにも人間らしい本能を逆手にとって利用する必要があります。最も原始的な本能も、快楽を求める欲望も、集団に属したいという思いも含め、すべてを目標達成のために使うのです。

## 第1のルール「汝を知れ」

自己コントロールは人類ならではの素晴らしい能力のひとつですが、人類の優れた特徴は自己コントロールだけではありません。人間には自己認識——自分のしていることを認識するとともに、それを行なう理由を理解する能力——も備わっています。場合によっては行動を起こすまえに自分が何をしそうか予測できるので、よく考えてから行動することも可能です。このレベルの自己認識は、人間にしか見られません。イルカやゾウは鏡に映った自分の姿を認識しますが、自分自身を理解するために心のなかを見つめるという証拠は、確認されていません。

自己認識なくしては、自己コントロールのシステムなど使い物になりません。意志力を要する決断を下すときには、自分自身でしっかりとそれを認識していなければならないからです。さもなくば、脳はいつでも最もかんたんなことを選びます。

たとえば、タバコをやめたいと思っている女性がいるとしましょう。この人はまず、自分がタバコを吸いたいと思う瞬間に気づき、どういうときに最も吸いたくなるのか（外で寒風に吹かれると、ついライターを探してしまう、など）を知る必要があります。

そして、吸いたい気持ちに今日も負けてしまったら、たぶん明日も負ける可能性が高くなることにも気づかなければなりません。運命の水晶玉でものぞいてみれば、このままでは保健の授業で習ったとおり、さまざまな恐ろしい病気が待ち受けているのがわかるでしょう。そんな悲惨な運命を免れるには、「タバコを吸わない」という意識的な選択をする必要があります。そういうことを自分で認識できなければ、運命は目に見えています。

自己認識などわけがないと思うかもしれませんが、心理学者なら知っているとおり、私たちはほとんどの選択を無意識に行なっており、なぜそうするのかという理由などろくに認識してもいなければ、どういう結果を招くかなど考えもしません。

それどころか、選択を行なっている自覚すらないこともしょっちゅうです。ある研究では、参加者に、「食べ物に関する決断を一日に何回くらい行なっていると思いますか」とたずねました。あなたは何回くらいだと思いますか？

実験における回答は、平均で14回でした。しかし、こんどは同じ人たちに実際に記録を取ってもらったところ、結果は平均で227回にもなったのです。つまり、この人たちは200回以上もの選択を無意識に行なっていたことになります——しかも、食べ物に関する選択だけでこれほどの数なのです。ですから、コントロールすべきことを認識すらしていなかったら、自己コントロールなどできるはずがありません。

現代社会はただでさえ気が散るものや刺激にあふれているのですから、まったく困ってしまいます。スタンフォード大学経営学部教授のババ・シヴは、「人は気が散っているときほど誘惑に負けやすい」という研究結果を発表しています。

誰かの電話番号を思い出そうとしながらデザートを選んでいる学生は、フルーツよりもチョコレートケーキを選ぶ確率が50パーセントも高くなります。またうわの空で買い物をしている人は店頭販売に引っかかりやすく、買い物リストにはなかった品物をごっそり買い込んで帰宅するはめになります。

考えごとで頭がいっぱいになっていると、長期的な目標など忘れてしまい、衝動的な選択をしてしまいます。コーヒーショップの列に並びながら携帯メールを打っていたら? いつのまにか、アイスコーヒーのかわりにモカ・ミルクシェイクを注文してしまうかもしれません。買い物中も仕事のことが頭から離れない? そんなことだと、店員さんのお勧めどおりに高い買い物をしてしまうかもしれませんよ。

## 意志力の実験 「選択した瞬間」をふり返る

自己コントロールを強化するには、まず自己認識力を高める必要があります。ですから、意志力のチャレンジに関する選択を行なうときには、そのことをはっきりと意識するのが大事です。

たとえば、「仕事帰りにジムに行くか行かないか」といった単純な選択もあるでしょう。けれども、自分が何気なく行なった選択の結果に、少し時間がたってから気づくこともあります。

仕事のあといったん帰宅しなくてもすむように、朝、ジムへ行く用意をして家を出たでしょうか?(賢いですね! サボる言い訳をしにくくなります)

終業まぎわに長電話につかまったせいでお腹がペコペコ、このままジムになんか行けない? (あーあ! 夕食をとってからじゃ、なおさらジムには行かないでしょうね)

一日分でもいいですから、その日に行なった選択をふり返ってみてください。一日の終わりに、「自分がいつ目標を達成するための選択、あるいは妨げてしまう選択をしたのか」を分析してみましょう。そのように自分の選択をふり返って意識することで、いい加減な選択の数が減っていきます。それにより、意志力は確実にアップします。

## 失敗する瞬間に気づく

ミシェルは31歳。ラジオ番組のプロデューサーで、パソコンでも携帯でも絶えずメールをチェックしていました。そのせいで仕事の生産性は下がり、恋人の機嫌もそこねていました。一緒にいてもミシェルがメールに気を取られているからです。

そんなわけで、私の講座を受けにきた彼女の目標は、メールをチェックする回数を減らすことでした。最初はずいぶんと意気込んだもので、1時間に一度しかチェックしないという目標を立てました。

ところが1週間後、そんな目標は全然守れなかったとミシェルは告白しました。困ったことに、いつのまにかメールをチェックしていて、新着のメッセージに目を通しているうちにはっと気づくようなありさまでした。チェックしそうになっているときに気がつけば我慢することもできましたが、携帯の画面を見たり、パソコンでメールをチェックしたりするのはほとんど無意識にやっていたのです。

そこでミシェルは「メールをチェックしそうになった瞬間を意識する」という目標を立てました。すると翌週には、携帯に手を伸ばそうとしたり、メールを開こうとしたりしている瞬間に気づくようになりました。そのおかげで、間一髪、思いとどまる練習をすることができたのです。

最初はメールをチェックしてしまうまえに、チェックしようとしている自分に気づくことがなかなかできませんでした。けれども、むずがゆくなるようなその感覚が、しだいにわかるようになってきました。

メールをチェックすると、なぜか脳や体の緊張が和《やわ》らぐような感じがしたのです。それに気づいたミシェルは、あまりの意外さに驚きました。まさかメールをチェックすることで緊張が和らいでいたなんて。自分では、ただ情報に興味があるだけだと思っていました。

しかしメールをチェックしたあとに自分がどんな気分になっているかに注意を向けるうちに、メールをチェックするのは、じつはかゆいところをかくのと同じくらい逆効果だとミシェルは気づきました――かけばかくほどかゆくなってしまうのですから。

こうして、自分の衝動とその結果の両方を把握《はあく》できたおかげで、彼女は以前よりも自分の行動をコントロールできるようになっただけでなく、最初の目標をクリアして、ついにメールは業務時間外にときどきチェックするだけになったのです。

## 脳の灰白質を増強する

脳に前頭前皮質が備わって、人間がいろいろなことをできるようになるまでには、何百万年という進化の歴史がありました。それを考えたらちょっと虫がよすぎるかもしれませんが、あと数百万年待ったりせずに、脳の自己コントロール機能を向上させることはできないものでしょうか?

太古の昔から、あるいは、少なくとも研究者たちが人間の脳をあれこれと調べ始めて以来、脳の構造は変化しないと考えられてきました。つまり、どれだけの知力が備わっているかはあらかじめ決まっていて、変わらないということ。そうなると、脳に見られる唯一の変化は、加齢による劣化だけです。

しかし、この10年のあいだに、神経科学者たちが発見したところによれば、脳はまるで熱心な学生のように、経験したことを見事に学んで身につけるのです。たとえば、毎日数学をやれば、数学に強い脳になります。心配ごとばかりしていれば、心配しやすい脳になります。繰り返し集中を行なえば、集中しやすい脳になるというわけです。

繰り返し行なうことは脳にとって容易になるだけでなく、それに合わせて脳じたいが変化していきます。まるで筋肉がトレーニングによって逞《たくま》しくなるように、脳の一部の灰白質が増強されるのです。

ジャグリングを習っている人の場合、脳のなかでは動く物体を追う領域の灰白質が増加します。脳の領域間の連絡も密になり、情報をより速く共有できるようになります。あるいは、記憶ゲームを毎日25分間行なった場合は、注意力と記憶力にとって重要な脳の2つの領域の連絡が強化されていきます。

けれども、脳のトレーニングは、たんにジャグリングやメガネの置き場所を覚えておくためのものではありません。脳を鍛えることによって自己コントロールを強化することができる、という科学的な証拠が増えてきています。

あなたの場合、意志力のトレーニングはどのようなものになるでしょうか？

たとえば、誘惑のワナを家じゅうに仕掛けて「やらない力」を鍛えるのもよいでしょう――靴下の引き出しにチョコバーを入れておいたり、エアロバイクのわきにお酒のボトルを並べたり、冷蔵庫のドアにもう結婚してしまった高校時代の恋人の写真を貼ってみたり。あるいは逆に、「やる力」を鍛えるための障害物コースをつくってみましょう。青汁を飲んだり、挙手跳躍運動《ジャンピングジャック》を20回やったり、税金を早く支払ったりして、障害を次々にクリアしていきます。

あるいは、もっとかんたんで苦痛が少ない方法もあります。瞑想です。神経科学者の発見によれば、瞑想を行なうようになると、脳が瞑想に慣れるだけでなく、注意力、集中力、ストレス管理、衝動の抑制、自己認識といった自己コントロールのさまざまなスキルが向上します。

瞑想を定期的に行なえば、たんに瞑想がうまくなるだけではありません。やがて、脳はすぐれた意志力のマシーンのように発達します。定期的に瞑想を行なう人の場合、前頭前皮質や自己認識のために役立つ領域の灰白質が増加するのです。

瞑想によって脳に変化をもたらすといっても、何も一生かかるわけではありません。効果を得るには最低限どれくらいの期間の瞑想が必要かについては、すでに研究が始まっています。

研究に参加したのは、瞑想を行なった経験が一度もない人たちで、なかにはこの研究そのものに懐疑的な人たちもいました。その人たちに、これからご紹介するようなかんたんな瞑想の方法を教えたのです。

ある研究では、瞑想の練習をたった3時間行なっただけで、注意力と自制心が向上するという結果が見られました。11時間後には、脳に変化が現れました。瞑想を始めた人たちの脳では、集中力を持続したり、気が散るものを無視したり、衝動を抑制したりするのに重要な領域の神経間の連絡が増加していました。また別の研究では、瞑想の練習を8週間毎日続けたところ、日常生活において自己認識の度合が向上し、脳で自己認識をつかさどる部分の灰白質の量が増えているのがわかりました。

脳がそれほどすぐに変化するなんて信じられないかもしれませんが、ちょうど重量上げをすると筋肉への血流が増加するように、瞑想をすると前頭前皮質への血流が増えるのです。筋肉に似てトレーニングに順応する脳は、もっとうまくできるようになろうとして、大きくなり速く働くようになるわけです。

ですから、もし脳を鍛えたいなら、これからご紹介する瞑想のテクニックは前頭前皮質への血流を促進するため、進化をスピードアップさせ、脳の潜在能力を最大限に引き出すには最も手っ取り早い方法といえます。

## 意志力の実験　5分で脳の力を最大限に引き出す

呼吸に意識を集中するのは、かんたんながらじつに効果的な瞑想のテクニックであり、脳を鍛え、意志力を強化するのに役立ちます。これによってストレスも減少し、気が散るような内的な要因（欲求、心配、欲望）や外的な誘惑（聞こえてくる音、見えるもの、匂い）に惑わされないようになります。

最近の研究では、定期的に瞑想を行なった場合、禁煙や減量に効果があり、薬物やアルコールの依存症への対策としても効果があることがわかっています。あなたの意志力のチャレンジが「やる力」の問題であれ「やらない力」の問題であれ、この5分間の瞑想は、脳を鍛えて意志力を強化するには最適な方法です。

では、やり方を説明します。

**①動かずにじっと座ります。**

椅子に座って足の裏を床にぴったりつけるか、クッションの上であぐらをかきます。背筋を伸ばし、両手はひざの上に置いてください。瞑想をするときは、そわそわしないことが重要です――これは身体面における自己コントロールの基本といえます。

もしかゆいところをかきたいと思ったら、腕の位置を動かすとか、脚を組み直すなどして、かゆくなってもかかずにいられるかどうか試してみてください。ただじっと座っているだけという単純なことでも、意志力を強化するトレーニングになります。これにより、脳や体が感じる衝動にいちいち従わないようになります。

**②呼吸に意識を集中します。**

目を閉じるか、あるいは居眠りが心配ならどこか一点（たとえばまっ白な壁とか。テレビショッピングを見ながらなんてダメですよ）を見つめてください。そして、呼吸に意識を集中します。息を吸いながら、心のなかで「吸って」と言い、こんどは息を吐きながら

「吐いて」と言います。気が散り出したら（自然なことです）、また意識を呼吸に戻します。このようにして、何度も繰り返し呼吸に意識を戻す練習をすることによって、前頭前皮質を活性化させ、脳の中枢のストレスや欲求を鎮《しず》めるのです。

**③呼吸をしているときの感覚をつかみ、気が散りはじめたら意識します。**

数分経ったら、心のなかで「吸って」「吐いて」と言うのをやめます。呼吸をしているときの感覚だけに集中してみましょう。鼻や口から息が出たり入ったりする感覚に気づくでしょう。息を吸うとお腹や胸がふくらみ、息を吐くとしぼんでいくのがわかります。いつのまにか他のことを考えているのに気づいたら、前と同じように、また意識を呼吸に戻してください。もし意識を戻すのが難しければ、また何度か心のなかで「吸って」「吐いて」と言ってみましょう。このような練習は、自己コントロールだけでなく自己認識のトレーニングにもなります。

まずは、一日5分から始めてください。それが習慣化したら、こんどは一日10分から15分やってみてください。練習時間が長くなったせいで明日に延ばしてしまうよりは、短くても毎日練習したほうがよいでしょう。一日のなかで、たとえば朝のシャワーを浴びる前など、瞑想をする時間帯を決めておくのもよい方法です。それがむりでしたら、いつでも都合のよいときに行ないましょう。

## 自分を何度も目標に引き戻す

アンドリューは瞑想がとても苦手でした。51歳、電気系エンジニアの彼は、瞑想というのは雑念をすべて取り払って、頭を空っぽにすることだと思い込んでいました。でも、意識を呼吸に集中しようとしても、つい他のことを考えてしまいます。なかなか思うようにうまくいかないので、もうこんな練習はやめにしようかと思い始めました。呼吸だけに意識を集中できないので、時間のムダだと思ったのです。

瞑想を始めたばかりの人はよく誤解するのですが、じつは、瞑想が下手なほうが、練習の成果は上がります。私はアンドリューに（そして、瞑想がうまくできなくて困っていた他の受講生たちにも）ひとつアドバイスをしました。それは、瞑想のあいだにどれだけ意識を集中しているかだけでなく、一日の他の時間において、自分の集中力や選択にどのような影響が出ているかにも注目してみてほしい、ということです。

するとアンドリューは、たとえ瞑想のあいだに気が散っていたとしても、瞑想をした日は、しなかった日に比べて、集中力が高まっていることに気づきました。

また、瞑想のあいだにやっていることは、まさにふだんの生活においてやらなければならないことと同じだと気づいたのです。つまり目標から遠ざかりそうになっている自分を、目標のほうへ引き戻すという作業です。

この瞑想の練習は彼にとってさまざまな場面で効果を発揮しました。たとえば、お昼に塩分の高いものや揚げ物を注文しそうになっても、ふと思いとどまって、もっとヘルシーなものを注文しました。相手に皮肉のひとつも言ってやりたくなったときも、ひと呼吸おいて口をつぐむことができました。仕事中どうもだらけているのに気づいたときには、気合いを入れ直すことができました。

このように自己コントロールとは、それこそ一日じゅう、目標から離れかけている自分に気づき、ふたたび目標へ向かって軌道修正するプロセスなのです。

そのことに気づいたアンドリューは、10分間の瞑想のあいだ、気が散ってはふたたび呼吸へ意識を戻すことの繰り返しであっても、気にならなくなりました。たとえ瞑想が下手でも、気が散るたびにちゃんと気がつくかぎり、実際の生活にとってはかえって効果的な練習になります。

## 最後に

現代人の脳には、思考、感情、行動のそれぞれをコントロールしようとする複数の自己がいます。意志力の問題は、いずれもそのような異なる自己のせめぎ合いです。

より高い次元の自己が力をもてるよう、私たちは自己認識と自己コントロールのシステムを強化する必要があります。そうすることによって、意志力や「望む力」が強まり、やるべきことをやれるようになるのです。

## 第1章のポイント

意志力には「やる力」「やらない力」「望む力」の3つの力がある。これこそ、私たちがよりよい自分になるために役立つものである。

### マイクロスコープ

▸できない理由を特定する

あなたの意志力のチャレンジにおいて、やるべきことは何でしょうか？　なぜそれを行なうのが難しいのでしょうか？

▸もうひとりの自分に名前をつける

あなたの意志力のチャレンジにおいて、せめぎ合う2つの自己はそれぞれどんな自分なのか考えてみましょう。賢いほうの自分は、どんなことを望んでいるのでしょうか？

### 意志力の実験

▸「選択した瞬間」をふり返る

意志力のチャレンジに関して一日のあいだに行なった決断をすべてふり返ってみましょう。

▸5分で脳の力を最大限に引き出す

「吸って」「吐いて」と心のなかでつぶやきながら、呼吸に意識を集中しましょう。気が散っているのに気づいたら、また呼吸に意識を戻します。

# 第2章

# 意志力の本能

## ――あなたの体はチーズケーキを拒むようにできている

突然、さっと興奮が走ります。頭がかっと熱くなって心臓がドキドキ。まるで体じゅうが「イエス！」と叫んでいるみたいです。かと思えば、急に不安に襲われます。何だか息が苦しくなって、筋肉が強《こわ》ばってきます。頭がクラクラして、少し吐き気まで感じるくらい。体が震えるほど、欲しくてたまらないのです。でも、ダメ。でも、欲しい。でも、ダメだったら！

こんなときどうすべきかはわかりきっているのに、もうおかしくなりそう、いっそのこと誘惑に負けるしかないんじゃないかと思ってしまう――。

「欲求の世界」へようこそ。

欲しくてたまらないのは1本のタバコ、それともお酒やトリプル・ラテ？　今シーズン最後のスーパークリアランスセールに血が騒ぐかと思えば、宝くじも買いたいし、ドーナツもおいしそう！　さあ、あなたは選択を迫られます。欲求に従うか、それともぐっとこらえて我慢するか。そんなときこそ、体じゅうの細胞が「欲しい」とささやいても、「ダメ」と言わなければなりません。

意志力が試されるときは、自分でもちゃんとわかります。体で感じるからです。何が正しいとかまちがっているとか、そんなたわいない話ではないのです。自分のなかで戦いが始まったような感じ――2人の自分というより、似ても似つかぬ他人どうしが争っているような感じです。ときには、欲求が勝ちます。しかし、分別のある自分、あるいは自分にとってほんとうによいことを望む自分が勝つこともあります。

このように、意志力の問題で誘惑に勝ったり負けたりするのは、不思議に思えるかもしれません。あるときは勝ったかと思うと、次はあっけなく負けてしまう。思わず自分に向かって言いたくなるほどです。「何を考えてたんだ！」

けれども、ほんとうはこう言ったほうが適切かもしれません――「おれの体は何をしていたんだ？」

科学の発展によって、自己コントロールは心理学のみならず生理学にも関わる問題であることがわかってきました。つまり、自制心を発揮するとは、心と体の両面において衝動を克服する強さと落ちつきが生まれている状態なのです。

研究の結果、自制心を発揮しているときはどんな生理状態にあるのか、また、なぜそのような状態は、現代社会のもたらす複雑さによって妨《さまた》げられることが多いのかがわかってきました。さらにうれしいことに、トレーニングを積めば肝心なときに自分の体を自制心を発揮できる状態に切り替えられることもわかりました。やり方しだいでは、体をそのような状態に保つこともできるのです。

## 体が勝手に「衝動的」になる

自制心を発揮すると体で何が起きるかを理解するために、まず押さえておきたいポイントがあります。それは、サーベルタイガーとストロベリー・チーズケーキの相違点。サーベルタイガーとチーズケーキには、ひとつ大きな共通点があります。両方とも健康で長生きをする妨げになりうるという点です。けれども、それ以外の点においては、このふたつは決定的に異なるタイプの脅威です。

したがって、脳と体はこれらの脅威に対処するため、まったく異なる手段を講じます。幸運にも人類の進化によって、あなたには両方の脅威から身を守るための能力が与えられています。

さあ、それでは時代をさかのぼる旅に出かけましょう。獰猛《どうもう》なサーベルタイガーたちが獲物をつけ狙っているところへ。

想像してください。そこは東アフリカの広大なサバンナ地帯、セレンゲティ。

あなたは猿人で、何やら忙しそうにしています。どうやらお昼時で、サバンナに散らばった獣の肉を拾い集めているようです。収穫は上々——あなたが物色しているのは、さっき殺されたばかりのレイヨウの死骸でしょうか——しかし、ああ、なんてことでしょう！すぐそばの樹に登ったサーベルタイガーが枝の陰に身を潜めているではありませんか。ひょっとしたら、前菜のレイヨウを味わいながら、次の料理のことを考えているのかもしれません……そう、あなたのことを。

サーベルタイガーは25センチもある見事な牙をあなたの肉に食い込ませたくてウズウズしています。21世紀に生きるあなたとちがって、この肉食獣は欲望を満たすことに何のためらいもありません。あなたのお腹まわりをながめて、ちょっとカロリーが高すぎるかも、なんて躊躇《ちゅうちょ》したりはしないのです。

でも、幸いこのようなピンチに追い込まれたのは、あなたが初めてではありません。太古のご先祖たちは、このような敵にしょっちゅう出くわしてきました。それで、生き残るためには戦うか逃げるかしかないようなピンチに遭遇した場合、そんな状況を切り抜けるための本能を、あなたは先祖から受け継いでいるのです。

この本能はいみじくも「闘争・逃走ストレス反応」と呼ばれています。どんな感じかわかりますね。あなたは心臓がドキドキして思わず歯を食いしばり、全神経を研ぎ澄ませて警戒しています。このような体に表れる変化は偶然ではありません。いざとなったら瞬発的に全力を出して行動できるように、脳と神経系の高度な連携によって備えているのです。

あなたの目がサーベルタイガーの姿をとらえた瞬間、生理学的に起きたことを説明しましょう。目からの情報は、まず脳の扁桃体《へんとうたい》という場所へ送られます。扁桃体は、いわばあなた専用の警報装置のようなものです。この警報装置は脳の中央に位置し、迫りくる緊急事態を察知する役目を果たします。

ちょうど脳の真ん中にあるため、危険を察知した場合に脳の他の領域や体じゅうへ信号を送りやすいのです。あなたがサーベルタイガーに狙われているという信号を眼球から受信した警報装置は、その信号をすみやかに脳の他の領域や体へ送り、ただちに闘争・逃走反応に移る準備を命じました。

すると、ストレスホルモンが副腎《ふくじん》から分泌され、エネルギー――すなわち脂肪と糖分――が肝臓から血液中に分泌されます。呼吸器系では肺が膨らみ、体内に酸素が充分に行きわたるようにします。心臓血管系はフル回転し、戦うにせよ逃げるにせよ、血中のエネルギーが必要な筋肉に行きわたるようにします。つまり、体じゅうの細胞が指令を受けたのです――「さあ、実力を見せてやれ」。

命を守るために体が準備を整えるいっぽうで、脳の警報システムはあなたが体の邪魔をしないように働きます。あなたの意識をサーベルタイガーや身の周りの状況に集中させ、目の前の危険から注意をそらさないようにします。また、警報システムは脳内化学物質に複雑な変化を生じさせ、前頭前皮質、つまり衝動をコントロールする脳の領域の働きを妨げます。つまり、闘争・逃走反応は、あなたがもっと衝動的になるように仕向けるのです。理性的で賢明で慎重な前頭前皮質の機能は、うまく眠らされてしまいます――怖気《おじけ》づいたり、考え過ぎたりして逃げられなくなるよりましでしょう。逃げるといえば、この場合、走って逃げるのがいちばん得策じゃないでしょうか。さあ急いで！

闘争・逃走反応は、自然が人類に与えた最も優れた贈り物のひとつです。いざというときに身を守るために全力を尽くすための能力が、体と脳に備わっているわけです。これによって、体や精神のエネルギーをムダにせず、絶体絶命のピンチを乗り切るために集中して使うことができます。

ですから、ひとたび闘争・逃走反応が起きれば、ついさっきまでは胃袋におさまった食べ物を消化したり、指のささくれを取ったりするのに消費されていた身体的エネルギーは、すべて危険から身を守ることにふり向けられます。そして、夕食用の獲物は何にしようか、次は洞窟《どうくつ》の壁にどんな名画を描いてやろうか、などと考えるのに使っていた精神的エネルルギーも、とっさに警戒態勢と迅速な行動に向けられます。
言い換えれば、闘争・逃走反応はエネルギー管理本能ともいえるでしょう。限られた身体的、精神的エネルギーをどのように使うべきかを決定するのです。

## こうしてあなたは誘惑に負ける

お疲れさまでした。太古の昔へさかのぼる旅はスリルがありすぎたでしょうか？　大変恐縮ですが、自制心を発揮する生理状態を理解するためには必要な回り道だったのです。では、ひと息ついて、少しリラックスしてください。もっと安全で楽しいところへ行きましょう。

それでは、あなたの街の大通りを散歩します。さあ、想像してください。何とも気持ちのいいお天気で、陽射しは明るくそよ風が吹いています。街路樹にとまった小鳥たちは、ジョン・レノンの「イマジン」を歌っています。

そんなとき、突然——ジャジャーン！　通りがかりのケーキ屋さんのショーケースに鎮座ましましているのは、見たこともないほどおいしそうなストロベリー・チーズケーキ。こってりと艶《つや》のある赤いソースが、なめらかでクリーミーなケーキにたっぷりとかかっています。いちごのスライスが何枚も美しくトッピングされていて、なつかしい子供時代の夏の味がよみがえってきます。「ちょっと、やめなさいよ。ダイエット中でしょ」なんてみずからを戒《いまし》めるひまもなく、あなたの足はケーキ屋さんの入口にまっしぐら。ドアノブをぐいと引っぱり、ドアベルが高らかに鳴り響くなか、あなたはダラリと舌を出し、よだれを垂らしながら店に飛び込みます。

このとき、あなたの脳と体では何が起きているのでしょうか？　いくつかのことがあります。

まず、脳は一時的に報酬への期待に支配されています。あのストロベリー・チーズケーキを見た瞬間、脳の中央からドーパミンという神経伝達物質が出され、注意力やモチベーションや行動をつかさどる脳の領域に到達します。このドーパミンという小さなメッセンジャーが、脳に命じるのです。

「いますぐあのチーズケーキをゲットしろ。さもなくば死よりも悲惨な運命が待ち受けているぞ」

これで、あなたの足や手の反射的とすらいえるほどの俊敏な動きにも説明がつくでしょう。そうこうしているうちに、血糖値が下がってきます。こってりしたチーズケーキの最初のひと口を脳が予測したとたん、神経系に作用する物質が分泌され、血中に流れているありったけのエネルギーを集めるよう体に命じるのです。

体のロジックはこうです。

糖分と脂肪がたっぷりのチーズケーキを食べるってことは、血糖値がいっきに跳ね上がるぞ。糖分の採りすぎで昏睡《こんすい》状態にでもなったらみっともないし、万が一にもチーズケーキなんぞのせいで死んじまうわけにいかないんだから、血中の糖分を下げておかないとな。

こんなふうに気を回して面倒を見てくれるなんて、体はなんて親切なんでしょう！　けれども、そうして血糖値が下がると、体が少し震えたり、ふらついたりして、さらにチーズケーキが食べたくなるのですから、何とも油断なりません。

チーズケーキの陰謀説を唱えていると思われたくはありませんが、チーズケーキと、ダイエットしなきゃというあなたの決意のどちらが勝利を収めるかといえば、軍配はチーズケーキに上がりそうです。

でも、待って！　セレンゲティのときと同じように、あなたには秘密兵器があるはずです。そう、意志力です。意志力は――どんなに大変なときでも、自分にとって最も重要なことを行なう能力でしたよね？

さて、いまいちばん大事なのは、チーズケーキのおいしさに舌鼓《したつづみ》を打つことではありません。あなたの心のなかには、もっと大事な目標があることを忘れない自分がいます。将来の健康や幸せ、それに、明日こそあの細身のパンツをはけるようになりたい、という目標があるではありませんか。

となれば、チーズケーキがそのような長期的な目標の邪魔になるのは明らかです。そこで、大事な目標を忘れない自分は、あらゆる手段を講じてこの危機に立ち向かおうとします。これが、意志力の本能です。

しかしサーベルタイガーとちがって、チーズケーキはほんとうの意味での脅威ではありません。考えてもみてください。あのチーズケーキは、あなたがフォークを手に取らないかぎり、あなたの健康やお腹まわりを脅《おびや》かすことはありません。つまり、今回は内なる敵が相手なのです。ですから、ケーキ屋さんの前から逃げ出す必要はありません。まちがっても、チーズケーキを（あるいはケーキ屋さんを）叩きのめす必要もありません。

けれども、自分のなかにある欲求を何とかしなければならないのです。

欲望を消し去ることはできませんし、欲求は自分の心や体のなかにあるものですから、そこから逃げ出すこともできません。闘争・逃走反応は、あなたを最も原始的な衝動に駆りたてるものですから、この場合は役に立たないのです。

そうなると、身を守るためには自制心を発揮する別の方法が必要です――このような新たな脅威に立ち向かうための方法が求められます。

## マイクロスコープ なぜ「やりたくないこと」をしてしまうのか？

私たちは、誘惑やトラブルの素は自分の外側にあると思っています。危険なドーナツ、罪深いタバコ、楽しいインターネットなどなど。けれども、自己コントロールは私たちの内面に鏡を向け、私たちの思考、欲望、感情や衝動を映し出します。あなたの意志力のチャレンジに関して、抑制すべき「内なる衝動」とは何かを明らかにしましょう。いったいどんな考えや感情のせいで、ほんとうならやりたくないはずのことを、やりたくなってしまうのでしょうか？　もしわからなければ、実際に観察してみるのがいちばんです。次に誘惑にかられたときは、自分の内面に意識を向けてみましょう。

### ひと呼吸おいて考える本能

ケンタッキー大学の心理学者スーザン・C・セガストロームは、ストレスや希望などの心理状態が体に与える影響を研究しています。

彼女は、ストレスと同様に自制心が生まれた場合も、生物学上の兆候が表れることを発見しました。自己コントロールが必要になると、脳と体が連携して一連の変化を起こし、誘惑に打ち勝って、自己破壊的な衝動を乗り越えようとします。セガストロームはこのような変化を「休止・計画反応」と呼んでいますが、これは闘争・逃走反応とは似ても似つかないものです。

セレンゲティへの旅を思い出せばわかるとおり、闘争・逃走反応は、外的な脅威を認識したときに起こります。脳と体が攻撃もしくは逃走という自己防衛態勢に入るわけです。休止・計画反応が決定的に異なるのは、まさにこの点です。

つまり、こちらは外的な脅威ではなく、内なる葛藤を認識した場合に起こります。やりたいことがある（タバコを吸いたい、ランチを大盛りにしたい、仕事中に遊びのサイトを見たいなど）けれど、やってはいけないと認識している状態。もしくは、やるべきことがある（税金を払う、プロジェクトを完成させる、ジムに行くなど）のに、やる気がしない状態。

このような内なる葛藤は、ある意味で脅威といえます。あなたの本能が、悪い結果を招くような決断をあなたにさせようとしているからです。そのため、あなたは自分の身を自分自身から守らなければなりません。

この場合、最も効果的なのは、（闘争・逃走反応のように）すぐに行動に出ることではなく、むしろ落ち着くことでしょう。休止・計画反応が、まさにそれです。内なる葛藤を認識すると、脳と体に変化が起き、あなたを落ち着かせて、衝動を抑えようとします。

## 「自己監視システム」が脳にエネルギーを集める

闘争・逃走反応と同じく、休止・計画反応も脳で起こります。

脳の警報装置が、音や視界に入るものや匂いに絶えず注意を払っているのと同様、脳の他の領域は、あなたの内部で起きている変化を見張っています。この自己監視システムの範囲は脳のすみずみまで及び、前頭前皮質の自己コントロールをつかさどる領域と、身体感覚や思考、感情を監視する領域とを結びつけています。

このシステムの重要な役目のひとつは、あなたが愚かなまちがいをしないように見張っていることです。たとえば、半年も続いている禁酒を破るとか、上司を怒鳴りつけるとか、支払い期限のすぎたクレジットカードの請求書に知らんぷりするとか。

自己監視システムは警戒サインが表れやしないかと待ち構えています――心に浮かぶ考えや感情、身体感覚など――あなたが後悔することをやってしまいそうな気配を見逃すまいとしているのです。

脳がそのような警戒サインに気づくと、私たちのよき友である前頭前皮質は、あなたが正しい選択を行なえるよう、ただちに行動に移ります。その前頭前皮質を助けるために、休止・計画反応が起き、体内のエネルギーを脳へ向けます。自己コントロールを発揮するには、逃げるための足も殴るための腕もお呼びではなく、力を発揮するためにエネルギーを蓄えた脳が必要だからです。

闘争・逃走反応の場合もそうでしたが、休止・計画反応も、脳内だけに表れるのではありません。さきほどは、チーズケーキを見たとたんに体が反応しました。目標を達成するため、脳は体も一緒に働かせて、衝動にブレーキをかけようとします。

そのため、前頭前皮質は、自己コントロールの指示を出し、心拍数や血圧や呼吸など自働的な機能をつかさどる脳の領域の働きを鈍らせます。つまり、休止・計画反応は、闘争・逃走反応とは正反対のことをさせるわけです。心拍数は下がり、血圧は通常のまま上がりません。呼吸も異常に速くなったりはせず、むしろ深呼吸をします。全力を出そうと筋肉が強ばるのとは逆に、体はよけいな力を抜いてリラックスします。

## 意志の強さは「心拍変動」でわかる

休止・計画反応を測定するために最もよい生理学的な方法は、心拍変動と呼ばれるものです。ほとんどの方は聞いたこともないかもしれませんが、これによって体がストレス状態にあるか、穏やかな状態にあるかが、驚くほどよくわかります。

誰でも心拍数には多少の変化があるものです。階段をかけあがって心拍数がいっきに上昇したときなどは、わかりやすいですね。

けれども、あなたが健康であれば、たとえばこのページを読んでいるあいだにも、心拍数は通常の範囲内で上下しています。

息を吸うと心拍数は少し増加します……ドクン、ドクン、ドクン。次に息を吐くと、心拍数は減少します……ドクン、ドクン、ドクン。これはよいことで、正常な反応です。すなわち、あなたの心臓はふたつの自律神経系の神経枝から信号を受け取っているということ。そのふたつとは、体に行動を起こさせる交感神経系と、体をリラックスさせ回復させる副交感神経系です。

ストレスを感じると交感神経系が活発になりますが、これは戦ったり逃げたりするための基本的な生理状態の一部です。心拍数が増加し、変動は低下します。つまり、心拍数は増加したままになり、闘争・逃走反応につきものの不安や怒りの感情が体に表れるのです。逆に、自制心をうまく発揮できたときには、副交感神経系が活発になり、ストレスを和らげ、衝動的な行動を抑えます。心拍数は減少しますが、変動は上昇します。このような状態になると、気持ちが静まって落ち着くのです。

セガストロームがこのような自己コントロールの生理学上の兆候に気づいたのは、焼きたてのチョコチップ・クッキーを目の前にしておあずけを喰らった学生たちを観察していたときでした。

それにしても残酷な実験です。学生たちは味覚のテストの準備と称して、食事を抜いてくるよう指示されていました。会場へやってきた学生たちは、焼きたてのチョコチップ・クッキーやチョコレートキャンディ、それにニンジンが並べられた部屋へ通され、指示を受けました。「ニンジンならいくら食べてもよいけれど、クッキーやキャンディには触らないように」と。お菓子は次の実験で使うというのです。

しかたなく、学生たちはお菓子の誘惑に打ち勝たなければなりませんでしたが、そのとき、心拍変動が上昇したのです。これとは逆に、幸運にも、「お菓子ならいくら食べてもいいけれど、ニンジンは我慢しなさい」と言われた被験者たちはどうだったでしょうか？

こちらは、心拍変動に変化なしでした。

## 食べ物で「意志力の保有量」が変わる

心拍変動は意志力の指標として大変優れているため、それによって誰が誘惑に勝てそうか、あるいは負けそうかも予測できます。たとえば、元アルコール依存症患者で、お酒を見たときに心拍変動が上昇する人は、禁酒を続けられる確率が高いといいます。

いっぽう、元アルコール依存症患者でも、お酒を見たときに心拍変動が低下する人は、ふたたびお酒を飲みだす可能性が高いのです。

また、研究によれば、心拍変動の高い人は、気が散るものを無視したり、欲求の充足を遅らせたり、ストレスの多い状況に対処するのが上手であることがわかっています。そしてそのような人たちは難しい課題に取り組んだ場合、たとえ最初のうちはうまくいかなかったり、誰かに批判的なことを言われたりしても、課題を投げ出さない可能性が高いことがわかりました。

こうした発見を踏まえ、心理学者たちは心拍変動を意志力の体内「保有量」と呼ぶようになりました——自己コントロールの能力を生理学的に測定しようというわけです。心拍変動が高ければ、誘惑にかられたときに発揮できる意志力の量が多いということになります。

心拍変動が高いおかげで意志力の問題に対処できる人がいるかと思えば、生理学的な条件が不利なせいで誘惑にかられてしまう人がいるのはなぜなのでしょうか？

意志力の保有量には、さまざまな要素が影響しています。

食べるもの（植物ベースの加工されていない食品がよいでしょう。ジャンクフードはダメです）から住むところ（空気が悪いと心拍変動が低下します）まで、さまざまです。あなたの心や体にストレスを与えるものは何であれ、自己コントロールの生理機能を妨げ、ひいては意志力を損ないます。

不安、怒り、憂うつ、孤独なども、すべて心拍変動の低下や自己コントロールの弱さと関連しています。また、慢性の痛みや病気も、体や脳の意志力の保有量を減らしてしまう原因になるでしょう。

しかし、体と心を自制心を発揮できる状態にもっていくための方法もたくさんあります。第1章で学んだ「瞑想」は、意志力のために体の状態を整えるには、最もかんたんで効果の高い方法です。瞑想は脳を鍛えるだけでなく、心拍変動も上昇させます。

その他、ストレスを減らして健康を保つためにすることは何であれ、あなたの意志力の体内保有量を増やすのに役立ちます。「エクササイズを行なう」「睡眠をたっぷりとる」「体によい食事をする」「友人や家族とかけがえのない時間をすごす」「信仰やスピリチュアル関係の集まりに参加する」などです。

**意志力の実験**

## 呼吸を遅らせれば自制心を発揮できる

この本にはあまり手っ取り早い解決法は出てきませんが、意志力をてきめんに高める方法があります。それは、呼吸のペースを1分間に4回から6回までに抑えること。

これだと10秒から15秒でひと呼吸することになるので、ふつうに呼吸するよりもだいぶゆっくりですが、少し辛抱強く練習すればたいして難しくはありません。

呼吸のペースを遅くすると前頭前皮質が活性化し、心拍変動も上昇します。

これが、脳と体をストレス状態から自制心を発揮できる状態に切り替えるのに役立つのです。このテクニックを数分間試すうちに、気分が落ち着いてコントロールが利くようになり、欲求や問題に対処する余裕が生まれます。

ですから、チーズケーキをにらみつけるよりも、呼吸を遅くする練習をするほうが賢明でしょう。まず、通常は1分間に何回呼吸しているかを数えてください。

それから呼吸を遅くするのですが、息は止めないようにします（息を止めてもストレスが高まるだけです）。

たいていの人にとっては息を吐くのを遅くするほうがかんたんなので、ゆっくりと完全に息を吐くことに意識を集中しましょう（口をすぼめて、ストローから息を吐き出すつもりにするとうまくいきます）。息を完全に吐くと、こんどはたっぷりと息を吸うのが楽になります。呼吸のペースは1分間あたり4回まで減らせなくてもかまいません。呼吸の数が1分間に12回以下になれば、心拍変動は確実に上昇します。

この練習を定期的に行なえばストレスに強くなり、意志力の保有量も増えることが研究によってわかっています。

ある研究では、薬物乱用や心的外傷後ストレス障害（ＰＴＳＤ）の元患者たちが、ゆっくりと呼吸をする練習を毎日20分間行なったところ、心拍変動が上昇し、欲求や憂うつが緩和されることがわかりました。心拍変動のトレーニング・プログラム（同じような呼吸のエクササイズを行なうもの）は、警官や証券トレーダーや顧客サービス窓口のオペレーターなど、最もストレスの多い職業の人びとを対象に、自己コントロールの向上やストレスの緩和を目的に実施されているほどです。

たったの1、2分、ゆっくりと呼吸するだけで意志力の保有量が増えるのですから、意志力が試される問題に直面したときは、いつでも試してみるとよいでしょう。

## 「運動」すれば脳が大きくなる

自己コントロールの生理機能を強化するためにできることはいろいろありますが、今週は費用対効果の抜群に高い戦略を2つご紹介しましょう。どちらもお金はかからないのに、効果はてきめん。時間が経つにつれてメリットが増加します。

また、憂うつや不安、慢性の痛み、循環器系の病気や糖尿病など、意志力を妨げるさまざまな症状を改善します。何より意志力を強化したい人にとってはじつに優れた投資であり、おまけにますますの健康と幸せが手に入るのですから、ありがたいことです。

心理学者のミーガン・オートンと生物学者のケン・チェンは、自己コントロールを向上させる新しい治療法に関する最初の研究を終えたばかりでした。オーストラリアのシドニーにあるマッコーリー大学のこのふたりの研究者は、実験結果を見て度肝《どぎも》を抜かれました。

もちろん、ふたりともよい結果が出ることを期待していましたが、どれくらいの治療効果があるかについては予測できなかったのです。参加者は男性6名と女性18名、年齢層は18歳から55歳でした。2カ月の治療が終了したところ、参加者には注意力や気が散るものを無視する能力において進歩が見られました。注意力を30秒もたせるのがやっとの時代ですから、それだけでもすばらしいことです。

しかし、他にも思わぬ効果がありました。参加者の喫煙や飲酒、カフェイン摂取量が減少していたのです――そんなことは要求されていなかったのですから不思議なことでした。また、彼らはあまりジャンクフードを食べなくなり、もっと健康的なものを食べるようになりました。テレビを観る時間が減って勉強する時間が増えました。さらに、衝動買いが減って貯金が増えました。

参加者らは以前よりも感情をうまくコントロールできるようになりました。物事を先延ばしにすることも減り、約束の時間にも遅れないようになりました。

いったいその奇跡のような薬は何なのでしょう？　どこに行けば手に入るのでしょうか？

その治療とは、薬ではありませんでした。意志力の奇跡は、運動によってもたらされたのです。

どの参加者もこの治療を始めるまでは、定期的にエクササイズをした経験はありませんでした。そんな彼らにジムの会員証が無料で配布され、できるだけ多く利用するように勧められたのです。

最初の1カ月は、参加者の平均利用数は週1回でしたが、2カ月の実験が終わるころには、週3回にまで増えていました。

参加者は運動以外の生活面も改善するように指示されたわけではありませんでしたが、運動プログラムのおかげで、これまでにはなかった強さが生まれ、生活のあらゆる面において自制心を発揮できるようになったらしいのです。

エクササイズのこのような効果は、自己コントロールの研究者らによって発見された「驚異の薬」と呼んでもよさそうなほどでした。とくにエクササイズを始めたばかりの人たちには、効果はてきめんでした。ランニングマシーンに15分乗るだけで欲求がおさまります。ダイエット中の参加者にチョコレートを勧めたり、喫煙者にタバコを勧めたりしても、あまり欲しがらなくなりました。

長期的なエクササイズの場合は、さらにすばらしい効果が表れました。日常生活のストレスが緩和されるだけでなく、プロザックのような抗うつ剤の代わりとしても効果が高かったのです。

エクササイズは心拍変動のベースラインを底上げし、脳を鍛えることにもなるので、自己コントロールの生理機能が向上します。

神経生理学者がエクササイズを始めたばかりの人たちの脳を調べたところ、灰白質（つまりは脳細胞）と白質の両方が増えていました。白質は脳細胞の上にある絶縁体で、脳細胞がすみやかに効率よく連絡し合うのを助けます。脳は瞑想と同様にエクササイズによって、より大きくなり、より速く働くようになりますが、その効果が最も顕著に表れるのは前頭前皮質なのです。

## この2つを「しなければ」意志力が上がる

この研究の話をすると、受講生たちからまず飛び出してくる質問はこれです。

「エクササイズはどれくらいやればいいんでしょうか？」

私は決まってこう答えます。

「どれくらいやりたいんですか？」

1週間で投げ出してしまうような目標を設定しても意味がありませんし、どれくらいのエクササイズが必要かについては、科学的な合意は得られていないのです。

2010年には、10件の研究の分析結果が発表されましたが、それによると、気分が向上し、ストレス解消に最も効果的だったのは、1時間に及ぶような長いエクササイズではなく、5分間のエクササイズでした。ですから、家の周りをたった5分歩くだけなんてかっこ悪い、なんて思うことはありません――すばらしい効果があるのですから。

次に出てくる質問はこれです。

「どんなエクササイズがいちばんいいんでしょうか？」

私はこう答えます。

「どんなエクササイズなら実際にやれそうですか？」

体や脳は選り好みをしないようですから、何でも自分がやってみたいと思うものから始めましょう。ガーデニング、ウォーキング、ダンス、ヨガ、チームスポーツ、水泳、子どもやペットと遊ぶ――はりきって掃除をしたり、ウィンドーショッピングしたりするのも、エクササイズと考えてかまいません。

もし、エクササイズなんて自分には向いていないと思うなら、エクササイズの定義を少し広げましょう。次の2つの質問に「ノー」と答えられることのうち、楽しいと思えることをやってみてください。

①座りっぱなし、じっと立ったまま、あるいは横になった状態で行なうこと。
②ジャンクフードを食べながらできること。

この2つに当てはまらない活動が見つかったら、もうしめたものです！　これで、あなたの意志力のトレーニング方法が決まりました。座りっぱなしのライフスタイルを返上すれば、あなたの意志力の保有量が増えるのです。

## 意志力の実験 グリーン・エクササイズで意志力を満タンにする

もし意志力をすぐに満タンにしたいなら、外に出るのがいちばんです。

科学者の言う「グリーン・エクササイズ」を5分間行なうだけで、ストレスが減少し、気分も明るくなり、集中力も高まって、自己コントロール力も向上します。

グリーン・エクササイズといっても、屋外の自然にふれられることなら何でもかまいません。

しかもうれしいことに、グリーン・エクササイズはほんのちょっと行なうだけで充分。短時間で集中的に行なう運動は、長時間の運動よりも気分転換になります。

汗をかいて疲れるまでやる必要はありません。ウォーキングなどの軽いエクササイズのほうが激しい運動よりも効果が高く、即効性があります。

5分間のグリーン・エクササイズで意志力を満タンにしましょう。いくつかアイデアをご紹介します。

・オフィスから出て、近くの公園など緑のある場所に行く。

・ｉＰｏｄでお気に入りの曲を聴きながら、近所をひと回りジョギングする。
・犬を外で遊ばせる（一緒にオモチャを追いかけて）。
・庭先や公園で仕事をしてみる。
・新鮮な空気を吸いに外へ出て、かんたんなストレッチをする。
・子どもたちを誘って、庭で追いかけっこやゲームをする。

## 「6時間未満の睡眠」が脳を弱くする

睡眠時間が6時間未満の人は、もしかしたら意志力がみなぎっている感覚を思い出せないかもしれません。睡眠不足が慢性化すると、ストレスや欲求や誘惑に負けやすくなります。

また、感情をコントロールしたり、意識を集中させたり、「やる力」のチャレンジに取り組むのも難しくなります（授業でそう言うと、はっとする受講生が必ずいます。新生児の親御さんたちです）。

あなたも慢性的な睡眠不足なら、一日の終わりにはがっくりと肩を落とし、なぜ誘惑に負けてしまったんだろう、どうしてやるべきことをちゃんとやれなかったのだろう、と後悔しているかもしれません。そんな状態が続くと、屈辱や罪悪感に苛《さいな》まれるようになります。そんなとき、たいていの人は「もっとしっかりしなくちゃ」と思うばかりで、「もっと眠らなくちゃ」と思う人はほとんどいません。

なぜ睡眠が足りないと意志力が低下するのでしょうか？

まず第1に、睡眠不足の状態では体や脳の主要なエネルギー源であるグルコースを使用することができません。疲れていると、血液中のグルコースが細胞になかなか吸収されないのです。そのため細胞がエネルギー不足となり、疲労を感じます。体や脳がエネルギーを欲しがるため、甘いものやコーヒーが飲みたくなります。

でも、糖分やコーヒーでいくらエネルギーを補給しても、それを効率よく使うことができないため、体や脳は充分なエネルギーをとることができません。これは自己コントロールにとっては困った状態です。脳が使用できるエネルギーはただでさえ限られているのに、自制心を発揮するには多くのエネルギーが必要だからです。

なかでもとりわけエネルギーを消費する前頭前皮質は、このエネルギー危機の影響をもろに受けます。睡眠の研究者はこの状態を「軽度の前頭前野機能障害」などと呼んでいるほどです。睡眠不足の状態で目を覚ますと、一時的に脳に障害を負ったような状態になります。研究によれば、睡眠不足が脳に与える影響は、軽度の酩酊《めいてい》状態と同じであることがわかりました。これでは、自己コントロールなどとうてい望めません。

前頭前皮質に障害が起きると、脳の他の領域に対するコントロールが失われます。通常であれば、前頭前皮質は脳の警報システムの過剰な働きを抑え、ストレスや欲求に対処しやすくします。しかしひと晩寝ないでいると、これらふたつの脳の領域の連絡が途絶えてしまうのです。歯止めのきかなくなった警報システムは、ふつうの日常的なストレスにも過敏に反応するようになります。

体が闘争・逃走反応の生理状態のままになり、その結果、ストレスホルモンのレベルが高くなり、自制がきかなくなってしまうのです。

しかし幸い、この状態は元に戻すことができます。睡眠不足の人でもちゃんと睡眠をとったあとは、脳をスキャンしても前頭前皮質のどこにも障害は見られなくなります。それどころか、ふだんからよく眠っている人の脳とまったく変わらないように見えるほどです。

依存症の研究者たちは、薬物乱用の治療に睡眠治療を使い始めました。ある研究では、呼吸に意識を集中させる瞑想を一日に5分間行なった場合、元依存症患者が眠りやすくなることがわかりました。これを1時間行なった場合は、質のよい睡眠がとれるようになり、その結果、薬物使用の再発リスクが著しく低下しました。

そんなわけで、意志力アップのためには、さっさと眠ることにしましょう。

意志力の実験 眠りましょう

寝不足が続いても、自己コントロールを補強する方法はいろいろあります。毎晩8時間熟睡するのは無理だとしても、ささやかな工夫で大きな効果を得ることができます。

いくつもの研究によって、ひと晩ちゃんと眠っただけでも脳の機能は最適な水準まで回復することがわかっています。ですから、平日はずっと夜遅く寝て朝早く起きる生活が続いても、そのぶん週末にたっぷり眠れば意志力は再びみなぎってきます。

また、その他の研究では、週の前半にしっかりと睡眠をとっておけば、後半に寝不足になっても大丈夫という結果が出ています。

さらにいくつかの研究によって、いちばんよくないのは連続して何時間も起きていることだとわかりました。ですから、前の晩にほとんど眠れなくてピンチというときには、少し居眠りするだけでも集中力や自己コントロール力が回復します。

これらの方法——不足した分をあとから補う、寝だめをする、もしくは居眠り——のどれかを試して、睡眠不足による悪影響の解消や予防に役立ててください。

## 「する」が失敗したら「しない」を決める

受講生のリサは、夜ふかしをやめたいと思っていました。29歳、独身の彼女はひとり暮らしで、誰かに合わせて早く寝る必要もありません。毎朝起きるとぐったりしていましたが、重たい体を引きずるように出勤し、秘書の仕事をしていました。カフェイン入りのダイエットソーダで何とか一日乗り切ろうとがんばりますが、困ったことに会議中に思わずうとうとしてしまうことも……。夕方5時にもなれば、神経はすり切れてクタクタ。そのせいで怒りっぽくなり、集中力もなくなって、ドライブスルーのファーストフードが無性に食べたくなるのでした。そんな彼女が講座の1週目、意志力のチャレンジとして、「もっと早く寝ることを目標にします」と宣言しました。

しかし、残念ながら翌週の報告では成果なし。リサはいつも夕食どきには「今夜こそ絶対に早く寝よう」と思っているのに、夜11時ごろにはそんな決心はすっかり忘れているらしいのです。私はリサに何をしているせいで早寝ができないのか訊いてみました。

すると彼女は、深夜になるとあれもこれもやっておかなければと思ってしまうというのです。フェイスブックをチェックしたり、冷蔵庫をきれいにしたり、大量のジャンクメールを整理したり、商品情報満載のテレビショッピングを見たり……。

もちろん、実際にはどれも急ぐ必要のないことばかりなのに、なぜか深夜になると不思議とやる気になってしまいます。そして、「あとひとつだけやったら寝よう」と思いながら、ずるずるとはまってしまうのです。そうやって寝るのが遅くなればなるほどリサの疲労は増し、目の前のことをやりたい誘惑に負け続けてしまいます。

そこで、リサと私は一緒に考え、睡眠時間を増やすという目標を「やらない力」のチャレンジとして設定し直したところ、こんどはうまくいきました。

肝心なのは、早く寝るように心がけるよりも、起きてだらだらといろんなことをやり続けるのをやめることでした。リサはルールを決め、夜11時をすぎたらパソコンもテレビも消し、新しいことを始めないようにしました。

このルールこそ、自分がどんなに疲れているかを自覚し、夜12時までに寝るために必要なものだったのです。こうして毎晩7時間眠るようになると、テレビショッピングはもちろん、以前は深夜にやりたくなったいろいろなことが、魅力的には思えなくなりました。

2週間もしないうちに、リサは次の意志力のチャレンジに取り組む気になりました。次なる目標は、ダイエットソーダとドライブスルーの夕食を減らすことです。

意志力の実験

## 体にリラクゼーション反応を起こす

日常のストレスや自己コントロールによる疲労から回復するのに最もよい方法のひとつは、リラクゼーションです。しかしリラクゼーションといっても、ぼーっとテレビを観るとか、ワインを楽しみながらごちそうをいただくとか、そういう話ではありません。

意志力をアップさせるリラクゼーションとは、心身がほんとうに休まっている状態を指し、ハーバード大学医学部の心臓専門医ハーバート・ベンソンのいう「生理学的リラクゼーション反応」をもたらします。生理学的リラクゼーション反応とは、心拍と呼吸のペースが遅くなり、血圧も下がり、筋肉の緊張がとけるといったものです。脳も先のことを考えたり過去のことを分析したりするのをやめて、休息をとります。

このリラクゼーション反応を起こすには、まずあおむけに寝て、ひざの下に枕を入れ、足のほうを少し高くします（他にくつろいで休める格好があれば、それでもかまいません）。

次に、目を閉じ、何度か深呼吸をして、お腹を膨らませたりへこませたりします。体のどこかに凝っているところがあれば、そこをもんだりさわったりしてから、手を放してください。たとえば、手のひらや指が強《こわ》ばっていると感じたら、ぎゅっとこぶしを握ってから手を広げます。額やあごのあたりが凝っているようでしたら、顔をくしゃくしゃにして目を細めたあと、口を思いきり大きく開け、それから顔の力を完全に抜いてください。5分から10分はそのままでいましょう。何もせず、ただ呼吸することを楽しんでください。もし眠ってしまいそうなら、時計のアラームをセットしましょう。

これを毎日の習慣にしてください。

とくに、ストレスの強い状態や意志力をたくさん要する状態のときはなおさらです。リラクゼーションは、慢性的なストレスや過度の自己コントロールによる生理的な悪影響から体を回復させるのに役立ちます。

## ストレスは「一瞬」でやる気を奪う

意志力について考えるとき、私たちの多くはまず「意志力とは何か」というところから入るでしょう。意志力というのは性格の特徴あるいは長所なのだろうか、人によってもっていたりいなかったりするのだろうか、困難な状況で奮いおこす火事場の馬鹿力のようなものだろうか、などと頭をひねります。

けれども、科学の目から見た意志力は、まったく様子が異なります。

すなわち、意志力とは進化によって得た能力であり、誰もがもっている本能であり、脳と体で起きている現象を対応させる能力なのです。

しかし、私たちはストレスを抱えていたり憂うつだったりすると、脳と体がうまく連携しないことを学びました。また、睡眠不足や極端なダイエット、座りっぱなしのライフスタイル、その他あなたのエネルギーを奪う要因や、脳と体を慢性的にストレス反応の状態に陥《おちい》らせる要因などによって、意志力は損なわれることがあります。

意志力なんて要は本人の心がまえしだいと決めつけるような医師や、ダイエットの権威や口うるさい配偶者などは、この研究で目からウロコが落ちることでしょう。たしかに心は重要ですが、体も一緒に取り組む必要があります。

また、科学は重要なことに気づかせてくれます。それは、ストレスは意志力の敵だということです。しかし私たちは何かをやりとげるには、多少のストレスがあっても仕方がないと思いがちで、ストレスをさらに増やすようなまねをします。やるべきことにぎりぎりまで着手しなかったり、自分の怠け癖や自制心の弱さを責めることで自分を奮い立たせようとしたり。

あるいは、自分ではなく他人のやる気を引き出すためにストレスを利用することもあります。職場で猛烈な仕事ぶりを見せつけたり、家でカミナリを落としたり。

そういうことは短期的には効果があるように思えるかもしれませんが、長い目で見た場合には、ストレスほどあっというまに意志力を弱らせるものはありません。ストレスに対する生理機能と自己コントロールの生理機能は、一緒には成立しないのです。

闘争・逃走反応も休止・計画反応も、ともにエネルギー管理のひとつの方法にはちがいありませんが、エネルギーと注意力の向け方がまるっきり逆です。

闘争・逃走反応では、本能的に行動できるように、エネルギーはすべて体に向けられ、慎重な意思決定をするための脳の領域からエネルギーを奪い取ります。いっぽう、休止・計画反応では、逆にエネルギーを脳に送ります――それも脳ならどこでもいいわけではなく、まさに自制心の中枢である前頭前皮質へ送るのです。

ストレス状態になると、人は目先の短期的な目標と結果しか目に入らなくなってしまいますが、自制心が発揮されれば、大局的に物事を考えることができます。ですから、ストレスとうまく付き合う方法を学ぶことは、意志力を向上させるために最も重要なことのひとつなのです。

## マイクロスコープ　ストレスでいかに自制心が落ちるかを試す

「体や心のストレスは自己コントロールの敵」というのはほんとうでしょうか。今週はそれを実際に試してみましょう。

心配ごとがあったり、働きすぎで疲れていたりすると、自分の選択にどのような影響が表れるでしょうか。お腹がすいたり疲れていたりすると、意志力は弱くなるでしょうか。体のどこかに痛みがあったり、病気だったりする場合はどうでしょう。

また、怒り、孤独、悲しみのような感情によって、どのような影響が表れるでしょうか。

1日あるいは1週間のなかで、どんなときにストレスを感じているでしょうか。その影響で自己コントロールにどんな変化が表れるか観察してみましょう。欲求を感じたり、かっとなったり、やるべきことを後回しにしたりしていませんか？

## 最後に

意志力のチャレンジが失敗しそうになると、私たちはそれをつい自分の性格のせいにしがちです。自分は弱いから、怠け者だから、意気地なしだから、と。

けれども、たいていの場合は、たんに脳と体が自己コントロールに適さない状態にあるだけです。たとえば、慢性的にストレス状態にある場合は、意志力の問題に取り組もうとしても、前面に出てくるのは非常に衝動的な自己です。

ですから、意志力のチャレンジで成功したければ、自分のエネルギーを自己防衛ではなく自己コントロールへ向けられるように、心と体の状態を整える必要があります。

つまり、ストレスから回復するために必要なものをみずからに与え、最高の自分を引きだすエネルギーを確保するのです。

## 第2章のポイント

意志力は、ストレスと同様、自分自身から身を守るために発達した生物的な本能である。

### マイクロスコープ

▸なぜ「やりたくないこと」をしてしまうのか?
自分の意志力のチャレンジにおいて、抑制すべき内的な衝動は何なのかを明らかにしましょう。

▸ストレスでいかに自制心が落ちるかを試す
1日や1週間のうちでどんなときにストレスを感じるかを考えてみましょう。それは、自己コントロールにどのような影響を与えているでしょうか。欲求を感じたり、かっとなったり、やるべきことを後回しにしたりしていませんか。

### 意志力の実験

▸呼吸を遅らせれば自制心を発揮できる
呼吸の数を1分間に4回から6回程度に減らし、生理機能を自己コントロールに適切な状態へもっていきましょう。

▸グリーン・エクササイズで意志力を満タンにする
外へ出て活動しましょう——近所を5分間歩き回るだけでも大丈夫——ストレスが減り、気分も明るくなり、モチベーションもアップします。

▸眠りましょう
昼寝をしたり、ひと晩ぐっすり眠ったりして、睡眠不足の悪影響を解消しましょう。

▸体にリラクゼーション反応を起こす
横になって深呼吸をすることで、生理学的リラクゼーション反応を起こします。それにより自己コントロールや日常のストレスによる疲労から体が回復するのを助けましょう。

# 第3章

# 疲れていると抵抗できない

## ――自制心が筋肉に似ている理由

やつれ顔の学生たちが図書館のデスクやノートパソコンの上につっぷしているのは、全国のキャンパスでおなじみの光景です。ゾンビのごとき様相で、カフェインと糖分を求めてさまよう姿もちらほら。ジムは閑散として、寮のベッドはもぬけの殻です。

この期末試験の7日間は、スタンフォードでは〝デッド・ウィーク〟と呼ばれています。いろいろな知識や公式をこれでもかと頭に詰め込みながら、何日も徹夜を続け、寮のパーティやフリスビーゴルフで明け暮れた10週間分のツケを払うべく、みんな死にもの狂いで勉強します。

けれども、こうした涙ぐましい奮闘には犠牲がともなうことが、研究によって明らかになっています。期末試験のあいだは勉強以外のこととなると、タガが外れてしまう学生が多いのです。タバコの量は増え、サラダバーなど目もくれず、フライドポテトへまっしぐら。感情が爆発しやすくなり、バイク事故も多発します。シャワーも浴びず、ひげも剃らず、着たきりスズメ。もうデンタルフロスさえ使いません。

自己コントロールの科学によって明かされた厳然たる、気がかりな研究結果。それは、人は意志力を使っているうちに「使い果たしてしまう」ということです。たとえば、24時間禁煙した喫煙者は、アイスクリームをドカ食いする確率が高くなります。大好きなカクテルを我慢した人は、持久力のテストで体力が落ちているのがわかります。最も穏やかならぬ例としては、ダイエットをしている人は浮気をしやすくなること。意志力を使い果たしてしまうと、人は誘惑に対して無抵抗な状態か、もしくはかなり弱い状態になってしまうのです。

この研究結果は、あなたの意志力のチャレンジにとっても重要な意味をもっています。現代生活は自制心を要することばかりですから、意志力などかんたんに使い果たしてしまいそうです。

研究結果によれば、自制心が最も強いのは朝で、その後は時間が経つにつれて衰えていきます。ですから、ようやくひと息ついて自分にとって大事なことをしようと思うころには――仕事のあとジムに行くとか、大きなプロジェクトに取り組むとか、子供たちがソファにお絵かきしてもキレないようにするとか、いざというときのための引き出しのタバコには手をつけないでおくとか——意志力などこれっぽっちも残っていません。

また、一度にあまり多くのことをコントロールしたり変えようとしたりすれば、やはり、意志力を使い果たしてしまうでしょう。それはあなたのせいではなく、意志力の性質のせいなのです。

## 自制心は筋肉のように鍛えられる

意志力の限界を最初に体系的に観察して実験を行なったのは、フロリダ州立大学の心理学者ロイ・バウマイスターです。

この15年間、彼は研究室で人びとに意志力を発揮してもらうために、さまざまな実験を行なってきました——クッキーを勧められても断るとか、気が散るものに注意を向けないとか、怒りを抑えるとか、氷水に腕をつけたまま我慢する、などです。手を替え品を替え、次々に実験を行ないましたが、いずれの場合も、被験者の自制心は時間の経過とともに低下しました。

集中力の実験では、時間が経つにつれて注意力が散漫になるだけでなく、体力も奪われていきました。感情を抑える実験では、最後にはキレてしまうだけでなく、必要のない物まで買ってしまう傾向が見られました。甘いお菓子を我慢する実験では、被験者はチョコレートを無性に食べたくなっただけでなく、やるべきことを先延ばしにする傾向が見られました。

こうした結果を見ると、意志力はつねに同じ源から引きだされており、自己コントロールがひとつ成功するたびに、疲れが増していくかのようでした。これらの観察によって、バウマイスターは興味深い仮説にたどりつきました。「自制心は筋肉に似ている」というのです。筋肉は使えば疲労します。筋肉を休めなければ、体を極限まで酷使したアスリートのように体力を使い果たすことになります。

そうした初期の仮説以来、バウマイスターの研究室が行なった数々の実験やその他の研究チームの実験によって、「意志力は限られた資源である」という考えが支持されてきました。怒りを抑えたり、買い物を予算内に収めたり、おかわりを我慢したりするために、同じところから力を引き出しているわけです。

したがって、意志力は使うたびに減っていくので、自制心を発揮し続けていれば、いずれコントロールが利かなくなる恐れがあります。

職場のうわさ話に加わらないように我慢していたら、お昼のデザートは我慢できなくなるかもしれません。それでもおいしそうなティラミスを無理に我慢すれば、こんどは自分のデスクに戻っても仕事に集中できません。ようやく一日が終わって車で帰宅するとちゅう、となりの車線からバカなやつが携帯を手によそ見しながら割り込んできて、あやうくぶつかりそうになりました――もう限界、あなたは窓を開けて怒鳴ります――死にてえのか、バカやろう！

また、思いがけないことにもけっこう意志力を使っているため、限られた力はますます減ってしまいます。

デートの相手に自分を印象づけようとがんばったり、自分とは価値観の合わない会社のカルチャーになじもうとしたり。ラッシュアワーのストレスの多い運転や退屈なミーティング。衝動を抑えたり、気が散りそうになるのを我慢したり、目標の優先順位を考えたり、困難なことに挑戦したりすると、なおさら意志力を消耗します。

人はほんのささいなこと――たとえば20種類ある洗濯用洗剤のうちどれを選ぶか――そんなことにすら意志力を使っています。脳と体が休止して計画を練る必要があるとすれば、いわば自己コントロールの筋肉をほぐしてやるためなのです。

意志力が筋肉に似ているのは、安心材料であると同時に不安材料でもあります。

意志力の問題における失敗は、必ずしも自分のせいではないとわかったのはうれしいことです。むしろ、自分がそれまでにどれほどがんばってきたかを示しているようなものですから。

いっぽうで、この研究結果はある重大な問題を示しています。つまり、意志力の量が限られているということは、ものすごく大変な目標にチャレンジをしても、しょせんは失敗してしまう運命なのでしょうか。

幸いなことに、意志力の消耗を食い止め、自制心を強化するための方法はいろいろあります。意志力は筋肉に似ているため、疲れているとうまくいかないのは納得できますし、自制心をどのように鍛えればよいかもわかります。

まず、意志力がどうして消耗してしまうのかを考えてみましょう。

そして、持久力のあるアスリートが疲労を感じるたびにそれを乗り越える方法を学ぶことによって、自己コントロールに必要なスタミナを強化するトレーニング戦略を探っていきます。

## マイクロスコープ　意志力の増減を観察する

意志力を筋肉だと思えば、一日の終わりには自制心が弱くなってしまうのもうなずけます。今週は、自分の意志力が最も強いのはいつか、逆に最も弱いのはいつかに注意してみましょう。

朝、目覚めたときに意志力が最も強く、その後だんだん弱くなっていきますか？　それとも、一日のどこかで意志力がふたたびみなぎる時間、リフレッシュした気持ちになれる時間はありますか？

そのように自分のパターンを知ることで、スケジュールをうまく立てられるようになりますし、意志力が弱くなるタイミングをつかんでおけば、誘惑に負けそうになるのを未然に防ぐこともできます。

## 「大事なこと」をやる時間帯を変える

朝5時30分、スーザンが起きて最初にすることは、キッチンのテーブルに座って仕事のメールをチェックすることでした。コーヒーを飲みながら45分もかけて返事を書き、その日の仕事の優先順位を決めます。

それから1時間かけて通勤し、大手商船会社の経理主任として10時間の勤務につきます。大変な仕事でした――紛争を調停したり、怒っている相手をなだめたり、火だねをもみ消したり。夕方6時にもなればもうクタクタでしたが、残業や同僚との付き合いをせずにまっすぐ帰宅するのは気が引けます。

じつは、スーザンはコンサルティング業を始めたいと思っており、資金やスキルの面で準備を始めていました。しかし、夜になるとたいていは疲れ切っていて、ビジネスプランを練ろうと思ってもちっとも捗《はかど》りません。こんな調子では、いまの仕事を辞められないのではないだろうか、とスーザンはあせりました。

そこで、スーザンは意志力をどのように使っているかを分析してみました。すると、朝のメールチェックから始まって、往復の通勤にもかなりの時間を費やしており、意志力を仕事で１００パーセント使い果たしているのは一目瞭然でした。

朝の食卓で仕事のメールをチェックするのは、まだいまの仕事についたばかりで、何とか期待を上回らなければと必死だったころからの習慣です。でも、いまとなっては午前8時の出勤時にチェックすればじゅうぶん間に合います。スーザンは、自分の目標のためにエネルギーをさく時間があるとすれば、出勤前の時間しかないと気づきました。そこで、朝の最初の1時間は他の誰のためでもなく、自分のビジネスプランのために使うことに決めたのです。意志力を自分の目標のために使いたいと思っていたスーザンにとって、これは賢い行動でした。このことから、意志力に関する重要なルールが見えてきます。

もし「やる力」のチャレンジに取り組むための時間やエネルギーがないと感じているなら、自分にとって最もエネルギーがあふれている時間に設定しましょう。

## 甘いものが「自己コントロール」を回復させる

自己コントロールが筋肉に似ているといっても、まさか腕の力こぶの下に自己コントロール筋が隠れていて、デザートや財布のほうへ手が伸びていくのを防いでくれるはずはありません。

ところが、脳には自己コントロール筋のようなものが存在するのです。

脳は筋肉ではなくひとつの器官ですが、繰り返し自己コントロールを行なうことによって、脳も疲弊します。神経生理学者らの発見によれば、意志力を使うたびに、脳の自己コントロールのシステムの活動は鈍くなっていきます。疲れたランナーの足が止まってしまうように、脳にも動き続けるだけの力がなくなってしまうのです。

ロイ・バウマイスターと一緒に研究を進めていた若き心理学者、マシュー・ゲイリオットは、脳が疲弊するのは要するにエネルギーの問題ではないだろうか、と考えました。自己コントロールは脳にとってかなりのエネルギーを要する仕事ですが、私たちの体のエネルギー供給には限りがあります。そこでゲイリオットの頭に疑問が浮かびました。意志力が弱くなってしまうのは、たんに脳がエネルギー不足になるせいでは？

真相を確かめるため、被験者にエネルギーを与えれば――つまりは糖分ですが――消耗した意志力が回復するかどうか、実験を行なうことにしました。
研究室に人を集め、気が散るものを無視するタスクから感情を抑制するタスクまで、さまざまな種類の自己コントロールの実験を行ない、各実験の前後に被験者の血糖値を測定します。自己コントロールの実験後の血糖値の下がり方が大きいほど、その人の次の実験結果は悪くなりました。あたかも自己コントロールのせいで体のエネルギーを消耗してしまい、またそのせいで自己コントロールが弱まっていくかのようでした。

次にゲイリオットは、意志力が消耗した被験者にレモネードを与えました。被験者の半分には、血糖値を回復させるため砂糖で甘くしたレモネードが与えられます。残りの人たちには、人工甘味料で甘さを補ってはいるもののエネルギー補給にはならないレモネードが与えられました。驚いたことに、血糖値が上昇すると意志力はいっきに回復しました。砂糖で甘くしたレモネードを飲んだ被験者たちには自己コントロールの向上が見られ、偽物のレモネードを飲まされた被験者たちの自己コントロールは、低下の一途をたどったのです。

血糖値が低いと、難しいテストを投げ出したり、機嫌が悪くなって他人に当たり散らしたりするなど、さまざまな意志力の問題が生じることがわかりました。

現在、トルコのジルベ大学で教授を務めるゲイリオットの研究によれば、血糖値の低い人は固定観念にとらわれる傾向があり、また、チャリティーに寄付をしたり他人を助けたりすることがあまりないことがわかりました。

まるで、エネルギーが足りなくなると、最悪の自分になってしまうかのようです。これとは対照的に、血糖値を上げる飲み物を与えられた人たちは、最高の自分を取り戻すことができました。つまり、粘り強く、衝動に流されず、考え深く、思いやりのある自分になれたのです。

ご想像の通り、授業でこの研究結果について話すと、受講生たちは大喜びします。まったく、思いがけないうれしいニュースです。糖分はいきなり大親友になりました。チョコバーを食べたりソーダを飲んだりすることが、自己コントロールにつながるなんて！

受講生たちはこれらの研究を大変気に入って、その仮説をみずから検証しようと張りきりました。ある受講生は大変なプロジェクトを完成させるためにフルーツキャンディを手放さないようにしました。別の生徒はミント味のタブレットの缶をいつもポケットに入れておき、長いミーティングのときはそっと口に入れ、同僚たちよりも集中力を持続させようとがんばったのです。

## 「1分の自制」の消費エネルギーはミント半分以下

もし糖分がほんとうに意志力をアップさせる秘訣だとすれば、私は空前のベストセラー本を出版し、スポンサー企業がわんさと押し寄せたことでしょう。けれども、受講生たちが意志力を回復するための実験を行なっていたとき、数名の科学者が鋭い問題を提起し始めました。

自己コントロールを行なうあいだに、正確にはどれだけのエネルギーを消耗しているのでしょうか？　そして、その分のエネルギーを補給するためには、大量の糖分を取らなければならないのでしょうか？

ペンシルベニア大学の心理学者ロバート・カーズバンの主張によれば、脳が自制心を発揮するために実際に必要なエネルギー量は、1分につきブレスミント〈チックタック〉の1粒の半分にも満たないといいます。

脳が行なう他の作業に比べれば、それでもたしかにエネルギー量は多いといえますが、体がエクササイズを行なう場合に比べればはるかに少ない量です。

ということは、たとえ疲れているとしても、その場にしゃがみこんでしまうほどではなく、その辺をひと回り歩ける程度のエネルギーが残っていれば、自制心を発揮したくらいで体じゅうのエネルギーを消耗してしまうとは到底考えられません。

となれば、砂糖入りの100キロカロリーのドリンクでエネルギーを補給する必要もないはずです。なのにどうして、自己コントロールによって脳のエネルギー消費量が増加すると、意志力はあっというまに衰えてしまうのでしょうか?

## 脳はエネルギーをお金のように使う

この問いに答えるには、2009年のアメリカの金融危機を思い出すのが役に立つかもしれません。2008年の金融破綻《はたん》後、銀行は政府による資金注入を受けました。これらの資金は銀行の債務を補塡《ほてん》し、再び銀行が資金の貸し出しをできるようにするためのものでした。にもかかわらず、銀行は中小企業や個人に対して資金の貸し渋りを行ないました。充分な資金を調達できるかどうか不安があったため、銀行は手持ちの資金を貯めこんだのです。なんてケチなろくでなしでしょう!

ところが、どうやら脳も少し〝ケチなろくでなし〟になってしまうようなのです。人間の脳には、つねにほんの少量のエネルギーしか蓄えられていません。いくらかのエネルギーは脳細胞に蓄えられますが、大部分のエネルギーは血液のなかに入って体じゅうをたえずめぐっているグルコースに頼っています。

グルコースを検出する役目の脳細胞は、利用可能なエネルギーの有無をつねに監視しています。利用できるエネルギーの量が減ったのを感知すると、脳細胞は少し不安になります。もしエネルギーが足りなくなったらどうしよう？　そのため、脳細胞は銀行よろしくエネルギーの使用を差し止め、もっているエネルギーをすべてためこもうとします。脳細胞は厳格なエネルギー予算を設けており、もっているエネルギーを使い果たすなど言語道断なのです。

それでは、まず最初に何が削減されるのでしょうか。そう、自己コントロールです。これは脳の活動のなかで最もエネルギーを消費するもののひとつなのです。エネルギーを節約するため、脳はあなたが誘惑に打ち勝ったり、注意力を集中させたり、感情をコントロールしたりするために必要なエネルギーを充分に与えようとしなくなります。

サウスダコタ州立大学の行動経済学者のX・T・ワンと心理学者のロバート・ドボルザークが、「エネルギー予算」という自己コントロールのモデルを提唱しました。彼らの主張によれば、脳はエネルギーをお金のように扱います。エネルギーがたくさんあるときには消費しますが、エネルギーの量が減り出すと節約するというのです。

この考え方を検証するため、彼らは19歳から51歳までの幅広い年齢層にわたる65名の成人を実験室に招き、意志力の実験に参加してもらいました。

その報酬として、参加者はすぐ翌日に120ドルもらうか、1カ月後に450ドルもらうか、どちらかを選ぶことができます。

このような選択を迫る実験をいくつか行なうのですが、片方の報酬はもう片方に比べてつねに少ない代わりに、多いほうよりも早くもらえるようになっています。

心理学者たちはこれを典型的な自己コントロールの実験と見なしました。なぜなら、すぐに手に入る報酬と、あとになるけれどもっと大きな報酬を、天秤にかけることになるからです。参加者たちは実験が終われば自分の選んだ報酬が必ず手に入ることを知っています。そのため、自分がほんとうに欲しいと思うほうを選ぶはずです。

どちらかの報酬を参加者に選ばせるまえに、研究者たちは参加者の血糖値を測定し、各人がベースラインとしてどれくらいの〝資金〟をもっているかを見極めました。

第1回の選択を行なったあと、参加者にはふつうの砂糖入りのソーダ（血糖値を上げるため）か、カロリーゼロのダイエットソーダが与えられました。

そのあと研究者たちはふたたび参加者の血糖値を測定し、参加者に2回目の選択をするよう指示しました。ふつうのソーダを飲んだ参加者には、血糖値の急上昇が見られました。また、その人たちには目先の報酬を我慢してより多くの報酬を手に入れようとする傾向が見られました。

反対に、ダイエットソーダを飲んだ参加者の血糖値は下がっていました。この人たちの場合は、少額でもすぐに手に入る報酬を望む傾向が見られました。

ここで重要なのは、参加者の選択を決定づけたのは血糖値の絶対水準ではなく「変化の方向性」だったことです。参加者らの脳は考えました。「利用できるエネルギーは増えているのか？　それとも減っているのか？」そのうえで、エネルギーを使うか蓄えるかを決め、戦略的な選択を行なったのです。

## 腹が減っていると危険を冒してしまう

体内に蓄えたエネルギーの量が減っているときに脳が自制心を発揮しなくなるのには、もうひとつ理由があります。

私たちの脳は現在とはまったく異なる環境で発達してきました。食べ物がいつ手に入るかわからないような環境です（セレンゲティにご一緒したときのことを思い出してください。レイヨウの肉を必死にあさりましたね）。

ドボルザークとワンの主張によれば、現代人の脳はいまだに血糖値によって、食べ物が手に入りそうもないか、あるいはたくさん手に入りそうかを判断しています。

人間の脳がまだ形成期にあったころには、血糖値が下がる原因は、エネルギーを大量に消費する前頭前皮質の力をふりしぼってクッキーを我慢したせいなどではなく、食べ物が手に入らなかったせいでした。しばらく何も食べていない状態では、血糖値は下がっています。体内に蓄えたエネルギーの量を監視している脳は、その血糖値のレベルによって、すぐにでも何か見つけて食べなければ飢えてしまうと判断します。

飢えているのにぼんやりしていたり、食べ物の奪い合いに遠慮したりしているようでは、肉をこそげた骨にしかありつけないかもしれません。食料が乏しかった時代には、自分の食欲や衝動に従って行動した原始人のほうが、生き残るチャンスが増えました。

現代社会においてはコントロールの喪失と見なされてしまうことも、じつは戦略的なリスクテイキングと呼ぶべき脳の本能の名残《なごり》と言えるかもしれません。

飢えたりしないように、脳は危険をかえりみない衝動的な状態に切り替わります。

実際、研究によれば、現代人も空腹のときには危険を冒す傾向があります。たとえば、お腹がすいているとリスクの高い投資に手を出したり、ダイエットをした後は〝パートナー拡大戦略〟（浮気のことを進化心理学者が呼ぶとこうなります）に積極的になったりします。

残念ながら、現代の欧米社会においては、この本能はもはや利益をもたらしません。体内の血糖値が下がったからといって、飢える恐れがあるわけでもなく、万が一冬を越せない場合に備えて遺伝子を残しておく必要もないからです。

とはいえ、血糖値が下がると、脳はいまだに目先のことだけを考え、衝動的な行動に出る傾向が強くなります。そうなると、脳の優先事項はとにかくエネルギーを補給することになってしまい、長期的な目標に基づいてよりよい決断をするどころではなくなってしまいます。

そういうわけで、株の仲買人《なかがいにん》は昼まえに買い注文で失敗したり、ダイエット中の人は宝くじに〝投資〟してしまったり、朝食を抜いた政治家はインターン生に食指が動いたりしてしまうのです。

## 意志力の実験　お菓子の代わりにナッツを食べる

たしかに、非常時に糖分をとれば一時的に意志力はアップします。けれども、長い目で見た場合、やたらに糖分を取るのは自己コントロールのための戦略としてはよくありません。

ストレスの多い時期にはお手軽な加工食品、とりわけ脂肪分と糖分が高くてハッピーな気分になれる食べ物に手を出しがちです。

しかし、そんなことをしているうちに、やがて自己コントロールがまったくきかなくなります。血糖値が急に上がったり下がったりすると、体と脳が糖分をきちんと消費できなくなります。血糖値が高いにもかかわらずエネルギーが低い状態になってしまうのです。

もっとよい方法としては、体に持久性のあるエネルギーを与えてくれるような食べ物を摂取することです。多くの心理学者や栄養士が推奨しているのは「低血糖食」、すなわち、血糖値を一定に保つための食事です。

低血糖食品とは、脂肪分の少ないタンパク質、ナッツ類、豆類、食物繊維の豊富な穀類やシリアル、そしてほとんどの果物や野菜など、基本的には素材のそのままの状態が保たれていて、糖分や脂肪や化学物質などの大量の添加物が入っていない食品です。

このような食事に変えるには意志力が必要かもしれませんが、ちょっとした工夫をすることで（たとえば、仕事がある日は朝食を抜いたりせず、栄養たっぷりのヘルシーな朝食をとるとか、おやつは甘いお菓子の代わりにナッツにするとか）、そのような変化を起こすのに使った意志力を補って余りあるほどの見返りがあなたを待っています。

## 「意志力筋」を鍛える

体のどの部分であれ、筋肉はエクササイズによって鍛えることが可能です――バーベルを持ち上げて上腕二頭筋を鍛えたり、携帯メールの達人になって親指を鍛えたり。

自己コントロールも筋肉ならば（たとえ比喩的な筋肉だとしても）鍛えることが可能なはずです。体のエクササイズと同じで、自己コントロール筋を使うと疲労するかもしれませんが、トレーニングを重ねることで強化されるにちがいありません。
研究者たちはこの考えを意志力トレーニング法で試すことにしました。実験はいたってシンプルなものでした。参加者に、ふだんはとくにコントロールなどしていないようなささいなことをコントロールしてもらうことで、自己コントロールの筋肉を鍛えようというのです。
たとえば、ある意志力トレーニングプログラムでは、参加者は目標を設定し、それを自分で決めた期限内に達成することを求められました。この方法は、たとえばクローゼットの整理など、ずっとやろうと思っていながらやっていないことに応用できます。期限の設定方法について、例をあげてみましょう。
第1週 クローゼットの扉をあけ、ぐちゃぐちゃな様子をしかと目に焼き付ける。
第2週 ハンガーにかかっている服を片っ端から整理する。
第3週 レーガン政権以前の服はすべて捨てる。
第4週 非営利団体〈グッドウィル〉が骸骨《スケルトン》もようの服も引き取ってくれるかどうか確認する。
第5週 ……
もうだいたいおわかりでしょう。意志力の訓練生たちが自分なりにこのようなスケジュールを作成して取り組んだところ、2カ月後にはクローゼットが片づいたりプロジェクトが完成しただけでなく、食事の内容が健康的になったり、運動量が増えたり、タバコやアルコールやカフェインの摂取量が減ったりしました。

まるで自己コントロール筋が鍛えられたような感じでした。

その他の研究でも、自制心を要する小さなこと（姿勢をよくする、毎日手が疲れるまでハンドグリップを握る、甘いものを減らす、出費を記録するなど）を継続して行なった場合、意志力が全般的に強くなるという結果が出ています。

## 「難しいほうを選ぶ」ことを繰り返す

ノースウェスタン大学の心理学者のチームは、2週間の意志力トレーニングによって恋人への暴力を減らすことができるか、という実験を行ないました。

まず、40名の成人（18歳から45歳まで、全員恋人がいる）をてきとうに3つのグループに割り振りました。

第1グループは利き手ではないほうの手を使って食事や歯磨きをしたり、ドアを開けたりするように指示を受けました。

第2グループは汚い言葉を使うのを禁じられ、「うん」と言わずに「はい」と答えるよう指示を受けました。

第3グループはとくに何も指示を受けませんでした。

さて、2週間後、第1グループと第2グループの人たちは、嫉妬《しっと》にかられたり、パートナーからないがしろにされたり、あるいはそう感じたりなど、いかにもかっとなりそうなことが起きても、あまり反応しないようになっていました。

しかし、第3グループの人たちにはそのような変化は何も見られませんでした。

私たちも、たとえ暴力の問題はないとしても、かっとなって怒りをぶちまけ、後悔するようなことをしてしまった経験は誰にでもあるのではないでしょうか。

これらの実験のトレーニングで行なわれた〝筋肉〟のアクションで最も重要なのは、設定した期限を守ったり、左手でドアを開けたり、汚い言葉を呑みこんだりすることじたいではありません。最も重要なことは、自分が何をしようとしているかに気づき、実行するのがたやすいことより困難なほうを選択することです。

毎回こうした意志力のエクササイズを行なっていると、脳はすぐに行動に出ないで考えるようになります。課題がささいなことであればあるほど、このプロセスはたやすくなるでしょう。指示された内容はそれなりに厄介ですが、手に負えないほどではありません。

意志力のトレーニングの課題があまり重要なことではなかったおかげで、参加者は苦痛を感じることなく自己コントロール筋を鍛えることができたのです。苦痛を感じてしまうと、何かを変えようという試みも往々にして挫折してしまいます。

意志力の実験

## 目標に関係のある強化法をやってみる

あなたも意志力トレーニング法を試してみたい場合は、次の意志力トレーニングメニューからひとつを選び、自己コントロールが筋肉に似ていることを実感しましょう。

### ・「やらない力」を強化する

汚い言葉を使わない（あるいは口癖を言わないようにする）、座っているときに脚を組まない、日常生活で食事をしたり、ドアを開けたりするときに利き手を使わない、など。

### ・「やる力」を強化する

何かを毎日継続して行なうようにする（すでにやっていること以外で）。これは、サボる言い訳をせずにひとつのことを続ける習慣をつけるための練習です。母親に電話をする、5分間の瞑想を行なう、捨てるもの、またはリサイクルに出すものを毎日ひとつ見つけるなど。

### ・自己監視を強化する

ふだんはとくに注意を払っていないようなことについて、きちんと記録をつけてみる。何にお金を使ったか、何を食べたか、インターネットやテレビをどのくらい見ていたか、などでもいいでしょう。特別なテクノロジーなど必要ありません——紙とエンピツで充分です。

以上のうち、どの意志力トレーニングのエクササイズを行なうにしても、あなたが取り組みたい意志力のチャレンジに関連のあるものを選ぶとよいでしょう。たとえば、お金を貯めることが目標ならば出費の記録をつけるとか。もっと運動をするのが目標ならば朝のシャワーのまえに腹筋運動か腕立て伏せを10回行なうとか。

とはいえ、この実験は必ずしも自分の「最大の目標」と合致したものでなくてもかまいません。たとえつまらないことやかんたんなことでも、意志力のエクササイズとして毎日続ければ、自己コントロールが筋肉に似ているのがよくわかり、あらゆる意志力の問題に対処するための力がついてくるのを実感できるでしょう。

## 限界を感じるのは脳にダマされているだけ

科学の実験を見ても、日常生活をふり返ってみても、私たちはたしかに意志力を使い果たしてしまうことがあります。ただひとつわからないのは、なくなってしまうのは「力」

なのか、それとも「意志」なのかということです。

禁煙中の女性は、予算内でショッピングをするのはほんとうに不可能なのでしょうか。大好物を我慢してダイエットをしている男性は、どうしても不倫をせずにはいられないのでしょうか。

困難なことと不可能なこととのあいだには、つねにちがいがあるはずですが、自己コントロールの限界はどちらとも取れそうです。この問いに答えるために、いったん比喩としての自己コントロール筋は置いておき、あなたの腕や脚についている実際の筋肉はなぜ疲労すると動けなくなるのか、それを詳しく見ていくことにしましょう。

初めて参加した鉄人トライアスロン。26・2マイルのマラソンコースの中盤まできたとき、32歳のカーラは「やった」と思いました。すでに2・4マイルの水泳と112マイルの自転車競技は切り抜けており、走るのはいちばん得意だったからです。

レースの現時点までは、本人も思ってもみなかったほどハイペースの走りを見せていました。ところが、折り返し点に差しかかったとき、それまで体を追い込んだツケがいっきに襲ってきました。両肩から足のマメにいたるまで、体じゅうが痛みます。足が棒になって重たく、もうこれ以上走り続けることはできなさそうでした。

まるで体のスイッチがカチッと切り替わり、「はい、そこまで」と言っているようです。楽天家の彼女もさすがにくじけそうになり、「せっかくいい調子だったのに、最後までそうもいかないか」と思い始めました。

しかし、足はもう言うことをききそうにないほど激しい疲労を感じていたにもかかわらず、まだ動いていたのです。「もうこれ以上ムリ」と思うたびに、カーラは自分に向かって言いました。「でもまだ走れるじゃない」。そして、一方の足をもう一方の足のまえに運ぶ、ただそれだけを続けながら、とうとうゴールにたどりつきました。

トライアスロンを完走したカーラの能力は、疲労がいかにあてにならないかを示す好例です。運動生理学者たちは、体が言うことをきかなくなるのは、文字通り動けなくなったからだと信じていました。疲労とは筋肉運動の不全以外の何ものでもない、つまり、筋肉がエネルギー切れになったのだ、と。

すなわち、もっているエネルギーを代謝するのに必要な酸素を取り入れることができなくなり、そのせいで血中pH値は酸性かアルカリ性に偏ってしまう——こうした説明は理論的にはたしかに筋が通っていますが、それが原因で運動をしている人のペースが途中で落ちていき、ついには動きが止まってしまうと証明できた人は誰もいなかったのです。

ケープタウン大学の運動・スポーツ科学の教授、ティモシー・ノークスは、それとは異なる考えをもっていました。ノークスは、それまではほとんど知られていなかったある理論に興味をもっていました。それは、ノーベル賞を受賞した生理学者アーチボルド・ヒルが1924年に発表した理論です。

ヒルが考えたのは、運動による疲労は筋肉疲労によって起きるのではなく、脳の中にある慎重なモニターが、極度の疲労を防ごうとして起きるのではないか、ということでした。体の運動量が増え、心臓に大きな負担がかかり出すと、このモニター（ヒルいわく〝司令官〟）が介入し、ペースを落とすように指示を出すのです。

つまり、肉体の疲労は脳が体をだますための策略だということ。もしこれが真実なら、もうダメだというサインを体が最初に出したあとも、アスリートの肉体には、まだしばらく限界はこないことになります。

ノークスは数名の仲間とともに、競技中の極限状態にあるアスリートの体で実際に何が起きるかを検証することにしました。すると、筋肉には生理的な不具合は何ら認められなかったのです。にもかかわらず、脳は筋肉に向かって止まるように指示を出しているようでした。脳は心拍数の上昇とともにエネルギー供給が枯渇していくのを感じ、文字通り体にブレーキをかけます。同時に、筋肉はまだ動けるにもかかわらず、脳は強烈な疲労感を生み出します。

これについてノークスはこう述べています。

「疲労はもはや肉体で実際に起きているものと考えるべきではない。むしろ、感覚や感情というべきものだ」

たいていの人は疲労を感じると、体がもう動けないという客観的な指標だと解釈します。しかしノークスの理論によれば、疲労は体の動きを止めさせようとする脳が生み出した感情にすぎないのです。それはちょうど、不安を感じれば危険なことから身を引いたり、気持ち悪いと思えば食当たりを起こしそうな物を食べないようにしたりするのに似ています。

けれども、疲労の場合は早い段階で警告が出されるので、ふつうの人なら体の限界がきたと思うようなときでも、卓越したアスリートならば当然のごとくそれをはねのけることができます。そのようなアスリートたちは、最初に疲労が襲ってきても実際に限界がきたわけではないとわかっているので、気力さえみなぎっていれば乗り越えられるのです。

## 「意志力の限界」は超えられる

この事実は、ジャンクフードを食べまくりながら詰め込み勉強をする大学生や、ダイエットしながら浮気する人、集中力を失った会社員たちにとってどんな意味があるでしょうか?

いまでは自己コントロールの限界も体力の限界と同じようなものだと考える科学者もいます。つまり、実際にはまだ余力があるのに、意志力の限界を感じるということです。エネルギーの節約を心がけようとする脳は、ある意味ではありがたい存在かもしれません。

脳が体力の限界を恐れて体の筋肉の動きをゆるめるように指示を出すのと同じで、脳はエネルギー消費量の多い前頭前皮質の活動にブレーキをかけるのです。

しかし、だからといって意志力が消耗してしまったわけではないので、気力を振りしぼればまだがんばれます。


自分の限界をどのようにとらえるかで、あきらめてしまうかねばりを見せられるかが決まってくるでしょう。スタンフォード大学の心理学者たちは、自制心を発揮したあとに襲ってくる精神的な疲労を感じても、意に介さない人がいることを発見しました。こうした「意志力のアスリートたち」には、筋肉疲労に似たような自己コントロール力の低下は見られません。

これらの実験結果に基づき、スタンフォード大学の心理学者たちは、ある考えを提唱しました。ノークスの主張が運動生理学の分野に衝撃を与えたように、彼らの考えは自己コントロール研究の分野に衝撃を与えました。

それは、数々の研究によって自己コントロールには限界があることが示されているが、それは実際の体力や精神力の限界を示しているのではなく、意志力に関する人びとの思い込みを反映しているにすぎないという考えです。

この考えに基づいた研究はまだ始まったばかりで、なにも人間の自己コントロール力は無限だと主張するものではありません。けれども、ときには自分が思っている以上に意志力を発揮できると考えるのは魅力的です。

すなわち、私たちはアスリートのように、意志力の限界がきたと感じてもそれをはねのけて、ゴールにたどり着く可能性があることになります。

## マイクロスコープ　疲労感を気にしない

疲れたと感じると、それをいいことに私たちはエクササイズをサボったり、夫や妻にあたり散らしたり、ダラダラしたり、健康的な料理をつくる代わりにピザを注文したりしてしまいます。

まったく、日常生活の用事をこなすだけでも意志力はすり減っていくのですから、完璧な自己コントロールを求めるなど愚かなことです。しかし、もう疲れてダメだと思ったときでも、意志力には余力があるかもしれません。

こんど〝疲れすぎて〟自己コントロールを発揮するなんてムリだと思ったときには、最初に感じた疲労をはねとばして、ねばってみましょう。ただし、やりすぎになる可能性もあるので注意してください。慢性的に疲労がたまっている場合は、がんばり過ぎて疲労困憊しているのではないかと考えてみたほうがよいでしょう。

## 「望む力」が限界を引き延ばす

トライアスロンに初めて挑戦したカーラは、疲労に襲われ、これ以上走るのはムリだと思ったとき、自分がどれほど熱い気持ちで完走を目指していたかを思い出し、ゴールの向こうで応援してくれているたくさんの人たちの顔を思い浮かべました。このように、やる気を奮い起こすことができれば、意志力の〝筋肉〟も思っていた以上に持ちこたえることがわかりました。

ニューヨーク州立大学オールバニー校の心理学者、マーク・ムラヴァンとエリザベータ・スレッサレヴァは、意志力が弱くなった学生を対象に、モチベーションの実験を数多く行ないました。すると予想どおり、お金をもらえるとわかったとたんに学生たちの意志力は回復を見せました。少しまえまでは疲れたからできないと思っていたことでも、現金を手に入れるためならやってのけたのです。

また、学生たちに対し、君たちが実験でベストを尽くしてくれれば、アルツハイマー病の治療法の発見に役立つのだと告げたときにも、学生たちの自己コントロールは強化されました。やがて難しい課題でも練習するうちにうまくできるようになることがわかると、学生たちは意志力の限界を乗り越えられるようになりました。

それがわかったからといって、いっきにモチベーションがあがることはないでしょうが、人びとが実際の生活で何かを変えようとして困難なことに挑戦するときには、役に立つはずです。

たとえば、禁煙を決心してニコチン断ちを始めた初日は、タバコを吸いたくてたまらないに決まっていますが、たとえ1年経ってもこのつらさは変わらないだろうと思ったら、禁煙など続かないでしょう。でも、いつかきっと自然に吸いたくなくなるにちがいないと思えれば、たとえいっときはつらくても我慢しようと思えるものです。

### 意志力の実験　「望む力」をつくりだす

意志力が弱まっていると感じたら、自分の「望む力」を利用してやる気を出しましょう。あなたにとって最大の意志力のチャレンジについて、次の3つのことを考え、モチベーションをアップさせてください。

**①このチャレンジに成功したら、あなたにはどんないいことがありますか？**

いまよりもっと健康で幸せになるでしょうか？　それとも自由や経済的安定や成功が手に入りますか？

**②このチャレンジに成功したら、あなたの他に誰の利益になりますか？**

あなたと日常的に関わり、あなたの選択の影響を受ける人びとが必ず存在します。あなたの行動は、家族や友人、職場の同僚やその他の社員や雇い主、あるいは地域の人びとにどのような影響を与えるでしょうか？　あなたのチャレンジがうまくいったら、周りの人にはどのような助けになるでしょうか？

**③このチャレンジは、たとえいまは大変に思えても、がんばって続けていくうちにだんだんラクになっていくと想像しましょう。**

あなたのチャレンジにしだいに進歩が見られたら、自分の生活がどのように変わっていくか、そして自分のことをどのように感じると思うか、想像できますか？　いまは不快に感じても、進歩する過程の最初のステップにすぎないと思えば、我慢する価値があると思いますか？

今週は自分のチャレンジ目標に取り組みながら、以上の3つのモチベーションのうち、自分にとってはどれが最もやる気になるかを考えてみましょう。自分のためにやろうとは思わなくても、他の人たちのために困難なことに挑戦しようと思いますか？　それとも、もっとすばらしい将来を望む気持ち――あるいは悲惨な運命を恐れる気持ち――によって、がんばろうとしていますか？

自分にとって最大の「望む力」――元気が出ないときでも強さを与えてくれる力――を発見したら、誘惑に負けそうになったときや、目標をあきらめそうになったときはいつでも、その力のことを思い出しましょう。

## 最後に

自己コントロールの限界は矛盾を示しています。

私たちにはすべてをコントロールすることはできないけれど、自己コントロールを強化するには限界を伸ばすしかありません。筋肉と同じで、意志力も「使わなければ駄目になる」ようにできているのです。

エネルギーを使わないようにしようとして、意志力のカウチポテト族をきめこんだら、いまもっている意志力さえ失われてしまいます。けれども、意志力マラソンに毎日挑戦していたら、そのうち燃え尽きてしまうのがオチです。

ですから、頭のよいアスリートのように、限界を少しずつ超えながらも、ある程度のペースを守ってトレーニングを行なうのが課題です。気力が衰えているときにはモチベーションを思い出して力を奮い起こすこともできますが、そのいっぽうで、疲れているときでもよい選択ができる方法を自分なりに探しておいたほうがよいでしょう。

## 第3章のポイント

自己コントロールは筋肉に似ている。使えば疲労するが、定期的なエクササイズによって強化することができる。

### マイクロスコープ

**▶意志力の増減を観察する**

今週いっぱい、自己コントロールの推移を追ってみましょう。どんなときに意志力が最も強いと感じるか、どんなときに誘惑に負けたりあきらめたりしてしまうかに注目します。

**▶疲労感を気にしない**

つぎに「疲れすぎて」もう自己コントロールなどできないと感じたとき、その最初の疲労感を乗り越えて、もうひと踏んばりできるかどうか試してみましょう。

### 意志力の実験

**▶お菓子の代わりにナッツを食べる**

体に持久性のあるエネルギーを与えてくれるような食べ物を摂取するよう心がけましょう。

**▶目標に関係のある強化法をやってみる**

今週はやるべきこと(やる力のチャレンジ)とやってはいけないこと(やらない力のチャレンジ)をひとつずつ決め、自己コントロール筋を鍛えましょう。もしくは、ふだんはとくに注意を払っていないことについて、きちんと記録をつけてみましょう。

**▶「望む力」をつくりだす**

自分にとって最大の「望む力」——元気が出ないときでも強さを与えてくれる力——を発見したら、誘惑に負けそうになったときや、目標をあきらめそうになったときは、いつでもその力のことを思い出しましょう。

# 第4章
# 罪のライセンス
## ――よいことをすると悪いことをしたくなる

「意志力の科学」の講座を長く教えていますが、意志力をめぐるスキャンダルにはつねに事欠きません。人はどのように自制心を失うのか、それを説明するにはまさにうってつけの教材です。これまでに特ダネを提供してくれた面々は、テッド・ハガード、エリオット・スピッツァー、ジョン・エドワーズ、そしてタイガー・ウッズなど。いずれももう古い話かもしれませんが、政治家や宗教の指導者、警官、教師、アスリートなど大物をめぐるニュースが毎週のように飛び込んできます。

こうしたスキャンダルは、自制心の限界によって起きてしまったようにも見えます。どの人物も過酷な仕事のスケジュールを抱え、四六時中、世間体を気にしなければならないという、とてつもないプレッシャーにさらされていました。きっと彼らの自己コントロール筋は疲弊し、意志力は消耗し、血糖値も低く、前頭前皮質も抗議のしるしにしぼんでいたのでしょう。もしかしたら、全員ダイエット中だったのかもしれません。

でも、それはいくら何でも安直すぎる考えです（とはいえ、大陪審にでもなれば、被告側の弁護士はそう主張するしかないでしょうけれど）。

自制心を失ったように見えても、必ずしもほんとうに自分をコントロールする力がなくなっていたとは限りません。私たちはときに「わざと」誘惑に負けるからです。意志力が消耗する理由を完全に理解するには、別の説明、つまり生理学的な説明よりも心理的な説明が必要です。

あなたの場合はセックス・スキャンダルで国じゅうを騒がせる心配はないかもしれませんが、私たちは誰でも意志力の問題でちょっとしたごまかしをしてしまいます――たとえ新年に立てた目標を都合よく忘れてしまう程度のことだとしても。

新聞の見出しを飾るヒーローたちの轍《てつ》を踏まないように、意志力の問題における失敗はすべて弱さのせいで起きるという思い込みを考え直す必要があります。ときには、自己コントロールがうまくいった反動でしくじってしまうこともあるからです。

では、目標に向かって前進したせいで逆にモチベーションが下がることがあるのはなぜか、楽観主義のせいで堂々とサボってしまうことがあるのはなぜか、そしていいことをしたと思っているときほど悪いことをしてしまうのはなぜか、ということについて考えていきましょう。

どのケースを見ても、誘惑に負けてしまうのは、自分がそうすることを選んだからであり、絶対に避けられなかったわけではないことがわかります。自分自身をどうやって甘やかしているかを理解することによって、目標への道から離れずに進む方法を発見できるでしょう。

## 人は「まちがった衝動」を信用する

次の意見に対し、「まったく反対」「やや反対」「やや賛成」「まったく賛成」のどれかで評価してください。では、始めます。

〈ほとんどの女性はほんとうに頭がよいとはいえない〉

次はこれです。

〈ほとんどの女性は外で仕事をするよりも家で子どもの世話をするほうが向いている〉

プリンストン大学の学生たちに以上の質問をしたところを想像してみてください。運がよければ、女子学生たちにひどい言葉を浴びせられずにすむでしょうか。でも、このような性差別的な意見は、男子学生でさえ抵抗を覚えるかもしれません。

では、少し表現を変えてみたらどうでしょうか？

〈なかにはほんとうに頭がよいとはいえない女性もいる〉

そして、もうひとつ。

〈なかには外で仕事をするよりも家で子どもの世話をするほうが向いている女性もいる〉

このような意見をはねつけるのは容易ではありません。やや性差別的な感じもしますが、「なかには〜もいる」という表現にケチをつけるのは難しいでしょう。

これらの調査は、心理学者のブノワ・モナンとデイル・ミラーによる研究の一部です。ふたりはステレオタイプと意思決定に関する研究を行なっていました。おそらくお察しのとおり、最初のふたつの意見を評価するよう求められた学生たちは、とんでもない意見だと反対しました。いっぽう、「なかには〜もいる」という手ごわい表現を使った意見を評価するよう求められた学生たちは、もっと中立的な態度を示しました。

この実験のあと、学生たちは就職面接という設定で意思決定をする実験に参加しました。与えられた課題は、男女数名の候補者の適性を判断することで、職種は建設や金融など典型的な男性中心の業界の上級職という設定です。ついさっき性差別的な意見に反対した学生が何人もいることを考えたら、あまりにもひねりのない課題に思えます。当然ながらその学生たちは、能力のある女性の候補者を差別したりはしないはずです。

しかし、プリンストン大学の研究者たちは、正反対の結果を見ることになりました。

あからさまな性差別的な意見に強く反対した学生たちのほうが、やや性差別的なニュアンスが和らいだ「なかには～な女性もいる」という意見にしぶしぶ賛成した学生たちよりも、その職種には男性のほうが適していると判断したのです。

また、この実験とは別に、研究者たちが人種差別的な態度について学生らに質問を行なったあとに、人種的マイノリティへの差別意識が表れる実験を行なったときにも、同じような現象が起きました。

これらの研究は多くの人に衝撃を与えました。心理学者たちは、人はいったん意見を表明したら、その後もその意見に従って行動するものだと思い込んでいました。誰だって自分のことを偽善者のように思いたくないに決まっています。しかし、プリンストン大学の心理学者たちは、終始一貫した行動を取りたいという私たちの望みには、例外があることを突きとめました。

こと善悪の問題に関しては、たいていの人は道徳的に完全でありたいなどとは思っていません。ですから、少しよいことをすると、こんどは自分の好きなように行動してもいいだろうと思ってしまいます。

あからさまな性差別的な意見や人種差別的な意見に反対した学生たちは、自分の優れた道徳観をアピールできたように感じていました。自分は性差別主義者でも人種差別主義者でもないことを堂々と証明したあげく、心理学者のいう「モラル・ライセンシング」に陥りやすくなっていました。

人は何かよいことをすると、いい気分になります。そのせいで、自分の衝動を信用しがちになります——多くの場合、悪いことをしたってかまわないと思ってしまうのです。

今回のケースでは、性差別主義的な意見や人種差別的な意見にきっぱりと反対を表明した学生たちは、すっかりいい気分になったあげく、引き続き性差別主義者や人種差別主義者のような判断をしないように注意するのを怠ってしまいました。

そのため、直観的な先入観にとらわれてしまい、自分の判断がフェアでありたいという大きな目標にかなっているかどうかなど考えなくなっていました。学生たちは何も差別をしたいと望んでいたわけではありません。よいことをしたせいでいい気分になってしまい、次に自分が下した決断の悪い点が目に入らなくなっていたのです。

## 「モラル・ライセンシング」が判断を狂わせる

人はこのモラル・ライセンシングのせいで、悪いことをしてしまうだけではありません。よいことをするように求められたとき、責任逃れをするようになります。たとえば、寄付金の依頼を受けたとき、自分が以前に気前よく寄付したことを思い出した人たちは、そのような過去のよい行ないを思い出さなかった人たちに比べ、寄付した金額が6割も低いという結果が出ています。

このモラル・ライセンシング効果は、世間一般にモラルが高いと信じられている人たち（牧師、家庭の大切さを説く政治家、腐敗を厳しく追及する司法長官など）がひどい不品行を行ないながらも自分に対してそれを正当化する理由を説明できるかもしれません。

妻帯者でありながら秘書と関係をもってしまうテレビ伝道師も、自分の金は惜しみながら公費を自宅の改装に使ってしまうような公務員も、無抵抗の犯人に対してひどい暴力を振るってしまう警察官も、みな同じことです。

さて、ダイエットや物事を先延ばしにしてしまう問題について話していたはずが、なぜ差別やセックス・スキャンダルの話題になってしまったのでしょう。

それは、意志力の問題とは善と悪の戦いにほかならないからです。

あなたがモラル化するものは何であれ、モラル・ライセンシング効果の格好のえじきになります。たとえば、エクササイズをちゃんと行なったときには自分を「よし」とほめ、サボったときには「ダメ」とけなしていたりすると、今日はトレーニングに行っても、明日はサボる可能性が高くなります。

重要なプロジェクトの仕事が捗《はかど》ったときは「よし」と自分をほめ、先延ばしにしてしまったときは「ダメ」とけなしているなら、午前中に仕事が捗ったら、午後はだらけてしまう可能性が高いでしょう。要するに、私たちは相反する欲求をもっている場合、よいことをすれば、ちょっとくらい悪いことをしてもいいだろうと思ってしまうわけです。

しかし重要なのは、こうしたことは血糖値や意志力が低下したせいで起きるのではないということです。心理学者たちが、開き直ったかのように気晴らしをする人たちに対してその理由をたずねたところ、気晴らしはあえて行なっていることであって、自制心が利かなくなったせいではないという答えが返ってきました。

彼らには罪悪感もありません。それどころか、がんばってごほうびを手に入れた自分を誇らしく思う、とさえ語りました。「がんばったんだから、ちょっとくらいごほうびがなくちゃ」とみずから正当化しているのです。そんなふうに自分を甘やかすことが、往々にして失敗の原因になります。気晴らしをすることが自分自身のよい行動に対する最高の見返りだと思うようになってしまうと、自分にとって最も大切な目標を忘れ、誘惑に負けてしまうのです。

## しようと考えただけで、した気になってしまう

ライセンシングの論理は、厳密に言うと論理的ではありません。

というのも、私たちは自分自身の「よい」行ないと自分が正当化しようとしている「悪い」行ないが矛盾しないかなど、気にも留めないからです。衝動買いをぐっと我慢した人が、家に帰ったとたんにおやつをペロッと食べてしまったり、プロジェクトに膨大な時間を取られている社員たちが、会社のクレジットカードを当然のごとく私用に使ったりするのもそのせいです。

私たちは何かよいことをした気分になって――あるいはよいことをしようと思いついただけで――正しさに対する判断があまく曖昧になってしまうと、衝動に従ってもかまわないと思うようになります。

ある研究では、被験者にふたつのうちどちらのボランティアをやってみたいかをたずねました。ホームレス支援施設で子どもたちに勉強を教えるか、あるいは環境改善活動に参加するかです。

すると、実際に参加申し込みをしたわけでもなく、ただどちらの活動をしようかと考えただけで、被験者はなぜか自分へのごほうびにデザイナージーンズでも買いたい気分になってしまいました。別の研究では、被験者はチャリティーにお金を寄付しようと考えただけで――実際にはお金を渡していないのに――自分のために何か買い物をしたくなることがわかりました。

このような研究結果を見れば、私たちが実際にどれほどよい行ないをして、どんなごほうびをもらうべきかについて、脳はまともな判断をしていないのがわかります。それどころか、私たちはただよいことをした「気」になっただけで、自分はよい人間だと思ってしまうのです。

モラル論法を研究する心理学者たちはよく知っていることですが、私たちはえてして善悪の判断をこのような方法で行なっています。ただ直観に従っているだけなので、説明を求められでもしないかぎり、たとえ筋が通っていなくても気になりません。実際、自分の判断を正当化できる理屈が見当たらないことすらありますが、それでも感情にしがみついてしまうのです。

## 人は正しいことは「したくない」と感じる

モラル・ライセンシングの最も悪いところは、論理的に筋が通っていないことだけではありません。困るのは、私たちがそのせいで自分にとってほんとうにためになることとは正反対のことをしてしまうことです。

モラル・ライセンシングのせいで、私たちは自分に害を及ぼすような行動（ダイエットをやめたり、浪費したり、禁煙を破ったりする）を「ごほうび」だと思い込みます。まったくどうかしていますが、私たちはまんまとそそのかされ、自分が「やりたいこと」を

「すべきこと」だと信じてしまうのです。

また、善悪の判断によってやる気が大きく左右されるかというと、残念ながらそんなことはありません。私たちは自分は清く正しくあろうとしていると思い、自分の行動基準は悪いことや恥ずべきことはしないことだと信じています。しかし、冗談にもほどがあります。私たちの最大の行動基準は、欲しいものを手に入れ、欲しくないものは避けることです。

ある行為を道徳的に正しいこととして位置づけると、私たちはどういうわけか相反する感情を抱くようになります。

意志力のチャレンジをよりよい人間になるためにすべきことだと位置づけると、なにもそんなことをする必要はないのでは、と反発心が湧いてきます。いかにも人間らしいかもしれませんが、私たちはいくら自分のためになることでも、他人からそれを押しつけられるのには抵抗を覚えます。それと同じで、正しいことや自己改善を行なうために自分自身にルールを課そうとすると、コントロールされたくないと思っている自分がただちに抗議の声を上げます。

ですから、あなたがエクササイズや節約や禁煙を——自分の目標達成のために役立つからではなく——「正しい」ことだからやろうと思っても、おそらくその決心は続きません。

モラル・ライセンシングのワナを避けるには、道徳上の問題と、たんにするのが難しいことを区別するのが重要です。税金をごまかしたり浮気をしたりするのは道徳的に悪いことですが、ダイエットをサボるのは道徳的に悪いことでも何でもありません。それなのに、多くの人はあらゆる種類の自己コントロールを道徳のテストのように考えています。誘惑に負けてデザートを食べたり、寝坊したり、クレジットカードを使いすぎたり——そんなことまで善悪の基準で測ろうとします。

しかし、そうした行為じたいに善悪の意味があるはずはありません。けれども意志力のチャレンジを道徳上の問題として考えてしまうと、私たちは自己批判に陥りがちになり、意志力のチャレンジは目標達成に役立つということを見失ってしまうのです。

## マイクロスコープ　自分の「言い訳」を知る

今週は、意志力のチャレンジにおける失敗や成功について、あなたが自分自身や周りの人にどんな言い訳や説明をしているかを観察してみましょう。

・意志力のチャレンジで成功すると、「よくやった」と自分をほめ、誘惑に負けたりやるべきことを先延ばしにしたりすると、「ダメだった」と思っていますか?

・「よい」ことをしたのをいいことに、こんどは「悪い」ことをしてもかまわないと思ってしまうことがありますか？　それはたわいもないごほうびでしょうか？　それとも大事な目標への努力を損なってしまうようなものでしょうか？

## 脳が勝手に「やるべき目標」を切り替える

あなたは意志力のチャレンジに取り組むことで道徳的に正しいことをしているなどとは思っていないかもしれませんが、それでもモラル・ライセンシングのワナにはまる恐れがあります。なぜなら、アメリカ人なら誰でも無条件に道徳的に正しいと思ってしまうものがあるからです。いえいえ、セックスではありません。「進歩」です！　進歩は素晴らしいもので、目標に向かって進歩するのは最高の気分です。つい得意になって自分をほめてやりたくなります。よくやったね！

けれども、自分に勲章をあげるまえによく考えてみましょう。たいていの人は、目標に向かって進歩すれば、それを励みにさらなる高みを目指すはずだと思っていますが、私たちは誰でも少し進歩すると、それをいいことについサボりがちになってしまうことを、心理学者たちはよく知っています。

シカゴ大学ビジネススクールのアイェレット・フィッシュバッハとイェール大学マネジメントスクールのラヴィ・ダールは、人は目標に向かって前進すると、逆に目標から遠ざかるような行動をしたくなるという研究結果を示しました。

教授たちはある実験でダイエットが順調に進んでいる参加者たちと面会し、各自の理想体重にどれだけ近づいたかを確認しました。参加者は奨励賞としてリンゴかチョコレートバーをもらえます。すると、進歩を自覚して気分がよくなった参加者の85パーセントはリンゴではなくチョコバーを選びました。

これに対し、進歩の状況を確認しなかった参加者の場合、チョコバーを選んだのは58パーセントにすぎませんでした。別の実験では、学業の面においても同様の結果が見られました。試験勉強を何時間くらい行なったかを確認した学生は気分がよくなり、その晩は友だちと飲みに行ってしまう確率が高いことがわかりました。

がんばって進歩したのはいいけれど、そのせいでかえって気がゆるみ、相反するふたりの自己のせめぎ合いが始まってしまうのです。意志力の問題にはふたつの相反する欲求がからんできます。ひとりの自己は長期的な利益（減量など）を考えていますが、もうひとりの自己は目先の満足（チョコレート！）を望みます。

誘惑を感じたときには、自分を甘やかそうとする声に負けないように、賢いほうの自己が声を張りあげなければなりません。しかしたとえ自己コントロールがうまくいっても、思わぬ落とし穴が待っています。うまくいったせいでいい気分になり、賢いほうの自己の声が聞こえなくなってしまうのです。

長期的な目標に対して進捗が見られると、あなたの脳は長期的な目標に向かってあなたを駆り立てていた精神機能のスイッチを切り替え、まだ達成されていない目標へ注意を向けさせます（脳のチェックリストには他にもたくさんの目標が盛り込まれています）。すると、自分を甘やかそうとするささやきが聞こえてきます。心理学者はこれを「欲求の解放」と呼んでいます。自己コントロールによって抑えつけていた欲求が高まり、少しでも誘惑を感じると抑えがたくなってしまいます。

わかりやすく言えば、1歩前進して2歩下がるということ。たとえば、退職後のための投資プログラムを始めると「貯蓄をしたい」という願いが満たされるいっぽうで、こんどは「買い物をしたい」という欲求が頭をもたげてきます。あるいは、ファイルの整理をすると「はりきって仕事しよう」という欲求は満たされますが、こんどは「テレビでスポーツでも観たい」という欲求が頭をもたげてきます。肩越しにささやく天使の声に耳を傾けていたはずが、いつのまにか悪魔のささやきに耳を奪われてしまうのです。

## 「やることリスト」がやる気を奪う

目標達成の大きな味方であるはずの「やることリスト」でさえ、じつは油断なりません。

プロジェクトのために抜けモレのない完璧なやることリストを作成したら、何だかものすごく達成感があって、今日の仕事はこれでおしまいだ、なんて思ったことはありませんか？

心当たりがあるのは、あなただけではありません。実際はこれから何をすべきかがはっきりしただけなのに、リストを完成させた達成感があまりにも大きくて、あたかも目標に向かって前進したかのように満足してしまうのです（ある学生が話してくれた例では、彼は生産性に関するセミナーが大好きだとか。そういうセミナーに出席すると――実際にはまだ何もしていないのに――生産性がすごく向上した気分になれるのだそうです）。

そうなると、目標達成について私たちが信じていることがことごとく覆されるような感じがしますが、進歩にばかり注目していると、かえって成功から遠ざかってしまいます。これは進歩そのものが問題なのではありません。厄介なのは、進歩が私たちの気分に与える影響です。ですから、有頂天になったりせず、目標から目をそらさなければ問題になりません。

実際、進歩することでやる気が出たり、自己コントロールがさらに向上したりすることもありますが、そのためには、自分が進歩したのは目標に向かって真摯《しんし》に努力してきた証だと認識しなければなりません。言い換えれば、自分のやってきたことをふり返り、目標をあらためて心に深く刻み、その目標に向かって自分がいっそう努力したくなるように仕向けなければなりません。

そのような態度で臨むのはけっして難しいことではないのですが、残念ながら放っておいても自然にそうなるわけではありません。なぜなら、私たちはおのずと努力をやめてもよい理由を探してしまうからです。

心構えしだいで、結果は大きく変わってきます。目標を達成するために積極的に努力してきた人たち――たとえば、エクササイズや勉強、節約など何でもいいのですが――に質問をするとしましょう。「目標の達成に向けて、自分でどれくらい進歩したと思いますか？」こう訊かれた人は、翌日はジムに行くのをサボったり、勉強をやめて友だちと遊びに行ったり、買い物で散財したりして、目標の達成を妨げるような行動をする確率が高くなります。

いっぽう、「あなたは目標を達成するために、どれくらい真剣に努力していますか？」と訊かれた人たちは、目標の達成を妨げるような行動をしたくなったりはしません。

このように心構えが異なるだけで、自分の行動についての解釈の仕方が大きく変わってしまうのです。「よくがんばった、えらい。さあ、もうホントにやりたいことをやっていいぞ！」ではなく、「自分が望んでいることだから、がんばったんだ」と思いたいものです。

意志力の実験

## 「なぜ」を考えれば姿勢が変わる

どうすれば自分の「進歩」ではなく「努力する姿勢」に注目できるでしょうか？　これについては、香港科技大学とシカゴ大学の研究によって、ある戦略が示されています。

誘惑に負けなかったときのことを学生たちに思い出してもらったところ、ライセンシング効果が生じ、そのあと70パーセントの学生が自分を甘やかすような行動を取りました。しかし、学生たちに*なぜ*誘惑に負けなかったのかと理由をたずねたところ、ライセンシング効果は見られず、こんどは69パーセントの学生は誘惑に負けませんでした。

研究者らが発見したこの単純な方法は、まるで魔法のように学生たちの自制心を向上させ、自分自身の大きな目標にふさわしい選択をさせるのに役立ちました。

「なぜ」という理由を思い出すのが効果的なのは、それによって自分を甘やかすような報酬についての感じ方が変わってくるからです。いわゆる〝ごほうび〟が目標の達成を妨げる脅威のように思えてきて、誘惑に負けて好きなことをするのがそれほど楽しそうに思えなくなります。また、「なぜ」という理由を思い出すことにより、目標に少しでも近づくためのチャンスを見逃さず、目標の達成へ向けて行動できるようになります。

がんばったんだから少しくらいごほうびをもらってもいいよね、と思っている自分に気がついたら、ちょっと立ちどまって「なぜ」自分はがんばっているのかという理由を思い出してみましょう。

## サラダを見るとジャンクフードを食べてしまう

進歩した自分をほめるにせよ、誘惑に打ち勝った昨日のことを思い出すにせよ、私たちは何かよいことをすると、すぐに得意になってしまいます。

モラル・ライセンシングのせいで、私たちが得意になってしまうのは過去のことだけではありません。これからよいことをしようと思っていると、それだけでいい気分になってしまいます。

あとでエクササイズをしようと思った人は、そのせいで気がゆるんでしまい、夕食をたくさんとってしまいがちです。そういうことが癖になると、今日は怠けてもあとで取り返せばいいということになり、口先だけで終わってしまうのがオチです。

想像してください。ランチタイムですが、あなたにはあまり時間がありません。何かさっと買ってくるなら、ファーストフード店がいちばん便利。でも、健康の改善のために体重に気をつけているので、太りそうなメニューは避けたいところです。

お店の列に並んだところ、うれしいことにいつものメニューのほかに新メニューのサラダがいろいろ増えています。このお店はオフィスのすぐ近くなので、お腹まわりの気になるあなたとしては、よくないかなと思いつつ、利用する機会が増えていました。でも、おかげでもう後ろめたさを感じないですむ、とあなたは大喜びです。

列に並びながら、ガーデンサラダにしようか、それともグリルドチキンサラダにしようかと悩んでいます。さて、とうとうレジの前に立ったあなたは、思いがけない言葉が自分の口から飛び出してくるのを聞きました……「ダブルチーズバーガーとフライドポテト」。

いったいどうしちゃったのでしょう？　ついいつもの癖が出てしまったのでしょうか。せっかくの決心もポテトの香ばしい匂いをかいで吹き飛んでしまったのでしょうか。

じつはメニューにヘルシーな品物が載っていたせいで、チーズバーガーとフライドポテトを注文したくなったのだと聞いたら、信じられますか？

これはニューヨーク市立大学バルーク校のマーケティング研究者たちが行なった数々の研究から得られた結論です。マクドナルドのメニューにヘルシーな品物を加えたとたん、ビッグマックの売り上げが驚異的に伸びたというレポートに、研究者たちは興味をそそられました。

理由を突き止めるため、研究者たちは独自のファーストフードのメニューを開発し、模擬店舗をつくりました。実験の参加者はメニューを手渡され、どれかひとつを選ぶように言われます。メニューには、フライドポテトやチキンナゲットやトッピングつきベークドポテトなど、ふつうのファーストフードの食べ物が並んでいます。

いっぽう、参加者のうち半数は、ヘルシーなサラダも載っているスペシャルメニューを渡されました。ところが、選択肢にサラダが入っていると、参加者はメニューのなかでもとりわけヘルシーではない、最も太りそうな食べ物を選ぶ確率が高くなりました。

そこで、自動販売機を使って実験をしてみたところ、やはり同じような現象が見られました。通常のジャンクフードの他に低カロリーのクッキーを加えたところ、多くの参加者は最もヘルシーではないお菓子（ちなみに、この実験で使われたのはチョコレートのかかったオレオでした）を選びました。

これはどういうことでしょうか？


人は目標にふさわしい行動を取る機会が訪れただけでいい気分になってしまい、実際に目標を達成したような満足感を覚えてしまうのです。そうしてヘルシーなものを選ぶという決心はどこかへ吹き飛び、まだ満たされていない欲求――目先の楽しみ――が最優先になってしまいます。ヘルシーな食べ物を注文しなくては、という決心は弱まり、ジャンクフードを食べたい欲求が強くなります。すると、まったくおかしなことに、メニューのなかでもとりわけ動脈を詰まらせ、お腹を出っぱらせ、寿命を縮める原因になりそうな食べ物を選んでしまうのです。

こうした研究結果を受け、公衆衛生当局が学校のカフェテリアや自動販売機やチェーン店のレストランにも最低ひとつはヘルシーなメニューを用意するように指導しているのはいかがなものか、と疑問視する動きが出てきました。ヘルシー志向がもっと大幅に普及して、すべてのメニューが全体的にヘルシーになるのでもないかぎり、かえって何の対策も打たない場合よりも、人びとの選択に悪影響を及ぼす恐れがあります。

## 「意志が強い」と思っている人ほど失敗する

もしかして、「自分はそんな影響を受けたりしない」と思っていませんか？　たしかに、実験に参加した人たちより、あなたの自制心は強いかもしれません！　でも、もしほんとうにそう思っているとしたら、困ったことです。参加者のなかでも、とくに食べ物に関して自制心が強いと自負していた人の大半は、メニューにはヘルシーなものがあるにもかかわらず、最も太りそうなものを選んでしまいました。

メニューにサラダが載っていなかった場合は、このような自称〝意志力の鉄人〟たちが最も太りそうなものを選ぶ割合は10パーセントにすぎませんでした。ところがメニューにサラダが載っている場合は、50パーセントもの人がいちばん太りそうなものを選びました。おそらく、ヘルシーなものはこんど選べばいいやと思って、フライドポテトを注文したのでしょう。

このことは、私たちがあとで行なうはずの選択について考えるときに犯しがちな、根本的なまちがいを示しています。私たちは、明日は今日とちがう選択ができるにちがいないと思いますが、そうはいかないのです。今日はやっぱりタバコを吸うけど、明日からはきっぱりやめよう。今日はジムをサボるけど、明日は絶対に行こう。クリスマスのプレゼントは奮発するけど、むこう3カ月はいっさい買い物はしない。

そのように楽観的に考えて、今日は楽しんでもいいやと思うわけです。すぐに挽回できる機会があるとわかっている場合はなおさらです。

例をあげれば、イェール大学の研究者たちは学生に脂肪ゼロのヨーグルトと〈ミセス・フィールズ〉のクッキーのどちらかを選ばせました。次の週の実験でも同じふたつの選択肢から選べると聞いた場合、83パーセントの学生はクッキーを選びました。これに対し、お菓子が出てくる実験は1回限りだと思っていた学生の場合、クッキーを選んだのは57パーセントでした。

また、別の実験で、低俗なエンターテインメント番組と教養性の高いエンターテインメント番組のどちらを見たいかを選択させた場合も、学生たちは同じような反応を示しました(「ためになる教養番組は来週でいいや」)。そして、すぐにもらえる少額の報酬と、少し後になるけれども金額の大きな報酬のどちらかを選ばせた場合も、結果は同様でした

（「いまはとにかく現金が必要だから。でも、次回はもっともらえるように、ちゃんと待つぞ」）。

じつのところ、翌週も同じ選択肢が待っていると聞いた学生のうち67パーセントが、「次回はもっとよい選択をする」と述べています。ところが、その翌週に研究室で同様の実験を行なったところ、前回と異なる選択をした学生はわずか36パーセントという結果でした。実際にはそうであるにもかかわらず、「あとで挽回できる」と思ってしまうと、自分に甘い選択をしても気がとがめなくなってしまうのです。

### マイクロスコープ「あとで取り返せる」と思っていませんか？

意志力のチャレンジに取り組みながら、それに関する決断をするとき、「あとで取り返せばいい」という思いが頭をよぎることはありますか？「今日はダメでも明日挽回すれば大丈夫」と自分に言い聞かせることはありますか？　その場合、今日の自己コントロールにはどのような影響が表れるでしょうか？

ツケを翌日に回した場合、はたしてほんとうに挽回しているのか、翌日の自分の行動を観察してみましょう。自分でやると言ったことをちゃんとやったでしょうか？　それともまた、「今日は楽しんじゃうけど、明日こそちゃんとやろう」の繰り返しだったでしょうか？

## 人には「明日はもっとできる」と考える習性がある

私たちは先のことを楽観視してしまうせいで、やるべきことがあってもあとでやろうと思うだけでなく、あとになればかんたんにできると思いがちです。心理学者らの研究によって、私たちは今日よりもあとのほうが自由な時間があるはずだという、まちがった予想をすることがわかりました。

このような勘ちがいを明らかに示したのは、マーケティング学のふたりの教授、ウィスコンシン大学マディソン校のロビン・タナーとデューク大学のカート・カールソンです。彼らは、エクササイズの器具を購入した消費者が、その器具をどのくらいの頻度で利用すると思うかという質問に対し、実際とはだいぶ異なる予想を立てることに興味をもちました。じつに90パーセントの器具は、やがて地下室で埃《ほこり》をかぶる運命にあったのです。

バーベルや腹筋マシーンを買った人たちが、自分はそれをどれくらい利用するだろうかと想像したとき、どんなふうに考えていたのか、教授たちは知りたくなりました。これから先もいまと同じようにやるべきことに追われ、気が散ってばかりで、毎日疲れているにちがいないと思っていたでしょうか。それとも、まったくちがった毎日を想像していたのでしょうか。

そのあたりのことを探るため、教授たちはあるグループに質問をしました。「来月は1週間に何回くらいエクササイズをしようと思いますか?」それから、別のグループにも同じ質問をしましたが、重要な前置きをつけました。「理想的には、来月は1週間に何回くらいエクササイズをしようと思いますか?」

ところが、ふたつのグループの回答に差異は見られませんでした。参加者たちは、「実際的に考えて答えてください」と言われた場合ですら、ことごとく理想的な予想によって回答していました。

私たちは先のことを考えるとき、きっといまと同じように雑用に追われて忙しいだろうとは思いません。そのため、今日はやりたくないことでも、あとになればきっと時間も余力もあってできるはずだと思ってしまいます。そんなわけで、当然のように後回しにして、遅れた分はあとで充分取り戻せるだろう、とのんきに構えてしまうのです。

このような心理的傾向は、揺るがしがたいほどです。実験では、参加者にもっと現実的な予想を立ててもらいたいと思い、何名かの参加者にはわざわざ「理想的な予想ではなく、自分自身の行動をできるだけ現実的に考えて予想してください」と前もって指示を与えました。

ところが、そのような指示を受けた人たちの回答はさらに楽観的で、最も多い回数を予想したのです。そこで、教授らはこの人たちに現実を把握させるべく、2週間後、実際にエクササイズを行なった回数を研究室で報告してもらうことにしました。すると、報告された実際の回数は、やはり予想を下回っていました。参加者は理想的な数字を予想したにもかかわらず、その後の2週間も相変わらずの生活を送っていたからです。

教授らは同じ参加者たちにふたたび質問をしました。「では、次の2週間で何回エクササイズをしようと思っているかを答えてください」。すると驚いたことに、楽天家のみなさんは、1回目の予想をさらに上回る回数を答えました。まるで、前回の予想はいたってまともだったのだといわんばかりに。

今回の〝いつになくひどい〟不本意な結果を挽回すべく、次回の回数をぐんと増やしたかのようです。この2週間の結果を現実として受けとめ、1回目の予想はおよそ非現実的な理想だったと認めるのではなく、この2週間の結果は例外だと決めつけたわけです。

そんなふうに、つい楽観的になってしまう気持ちもわかります――目標を設定するたびに、きっとうまく行かないだろうと思っていたら、始めるまえからあきらめてしまうでしょう。とはいえ、「いまは怠けたってオーケー」と開き直るくらいなら、そもそも目標など設定しないほうがマシかもしれません。

## 意志力の実験　「明日も同じ行動をする」と考える

行動経済学者のハワード・ラクリンは、行動を変えることを明日に延ばすのを防ぐためのおもしろい仕掛けを提唱しています。ある行動を変えたい場合、その行動じたいを変えるのではなく、日によってばらつきが出ないように注意するのです。

ラクリンによれば、タバコを吸うなら「毎日同じ本数」を吸うよう喫煙者に指示すると、タバコの量を減らせとは言われていないにもかかわらず、なぜか喫煙量が減っていくといいます。

ラクリンの説明によれば、この方法が効果的なのは「明日からちゃんとやればいいや」という言い訳ができなくなるからです。今日タバコを1本多く吸えば、毎日同じ本数を吸う決まりなので、明日も1本多く、その次の日も、またその次の日も、1本多く吸い続けることになります。そうなると、タバコの一服に重みを感じるようになり、ひいては1本のタバコが長い期間に体に及ぼす影響をいたずらに無視できなくなります。

今週は、このラクリンのアドバイスをあなたの意志力のチャレンジに生かしてみましょう。日によって行動にばらつきが出ないようにするのです。

選択を行なうたびに、それが将来にわたってずっと影響を及ぼすことを認識しましょう。

つまり、「このチョコバー、食べちゃおうかな?」ではなく「これから1年、毎日毎日、午後になったらチョコバーを食べることになるけど、それでもいいわけ?」と確認するのです。あるいは、やるべきことをずっとやっていないなら、「やっぱりこれは今日やったほうがいいかな、それとも明日でもいいかなあ」ではなく、「ずっとこうやって先延ばしにして、あとでツケが回ってきてもいいの?」と自分に問いかけてみましょう。

## 後光効果が「罪」を「美徳」に見せかける

私たちが注意すべきライセンシング効果のワナがもうひとつあります。最後のワナは、これまで見てきたワナとはちがって、私たち自身のよい行ないとは関係ありません。自分が欲しいものは悪いものではないにちがいないと思いたがる、私たちのひそかな願望に関わるものです。

これからいろいろな例を見ていきますが、私たちは何か欲しいものが出てくると、あれこれもっともらしい理由をつけて、楽しもうとします。

さて、あなたは週末の買い物にスーパーへ来ています。シリアル売り場を抜け、角を曲がって冷凍食品売り場へ向かうと、何やらキャンペーンで試食をやっています。天使みたいな女の子が――ティーンエイジャーが夢想するブロンド天使じゃなくて、清らかな天使のほうです――トレーにのった試食用のサンプルを差し出します。女の子のきらきらした後光を浴びて、ミニサイズのホットドッグまでが輝いて見えます。美しいハープの調べがいまにも聞こえてきそうです。

「おひとつどうぞ」天使がささやきます。思わず食欲をそそられますが、飽和脂肪や亜硝酸塩、コレステロールのことがさっと頭をよぎります。ホットドッグなんてダイエットにはよくないにきまっているけれど、こんな天使の言うことなら聞いたっていいでしょう？ ひと口だけなら、きっと……。

さあ、こうしてあなたも後光効果《ハロー》にはまってしまいました。このタイプのモラル・ライセンシングが起きると、人は誘惑に対して「イエス」と言うための理由を無理やりにでも探してしまいます。いけないと思っていてもやりたいことがあるとき、私たちはこじつけでも何でもいいから正当化する理由を探して楽しもうとするわけです。

身近な例として、夕食などはわかりやすいでしょう。研究によれば、メインディッシュにヘルシーなものを選んだ人の多くは、逆に太りやすい飲み物や副菜やデザートを注文する傾向があります。それでは健康に気をつけているはずが、かえってふつうのメニューを頼んだ人より総カロリーが多くなってしまいます。

ダイエット研究者たちはこれを「健康ハロー効果」と呼んでいます。ヘルシーなものを注文したせいでいい気分になり、あとは適当に好きなものを頼んでしまっても何とも思わないのです。

また、何かよい選択をすると、こんどは悪い選択をしても許されると決めてかかる傾向があります。研究によれば、チーズバーガーと一緒にグリーンサラダを注文すれば、チーズバーガーだけ注文した場合に比べて総カロリーが減ると勘ちがいしてしまう人が多いことがわかりました。しかし、お皿にレタスを敷いただけでカロリーが魔法のように消えるはずがありません（私の見るかぎり、ダイエットソーダにもそのようなカロリー帳消し効果を期待している人は多そうです）。

つまり、サラダのせいで判断する目が曇ってしまうのです。レタスの葉っぱが健康ハロー効果を生んでハンバーガーに輝きを与えた結果、実際には体によくない食事をしていても、気にならなくなります。ダイエットをしている人たちは（本来なら食べ物のカロリー計算にいちばん詳しいはずですが）ハロー効果に最も引っかかりやすいことがわかりました。

何かよいことをした気分になると、とたんに楽しみたい気持ちが湧いてきて、ハロー効果が発生します。チャリティーのチョコレートを買った人はよいことをした気分になって、いつもよりたくさんチョコレートを食べてしまいます。募金をしたあとはハロー効果でチョコバーが輝いて見え、ルンルン気分で食べてしまうのです。バーゲンで目玉商品をゲットした人はものすごく得をした気分になって、つい買いすぎてしまいます。

誰かのためにプレゼントをした人は、これまたよいことをした気分になって、自分にも何か買ってあげなくちゃ、と思うのです（クリスマスセールの時期にレディースの靴や服がよく売れるのはそのためでしょう）。

## 意志を骨抜きにする「魔法の言葉」

厄介なのは、食べ物にせよ他の物にせよ、「いい」や「悪い」で判断すると、いい気分になったせいで常識が吹っ飛んでしまうことです。レストランやマーケティング担当者はそこにつけ込み、99パーセント悪いものに、たった1パーセントのいいところをくっつけます。まんまとその手に引っかかる私たちは、長期的な目標に反するにもかかわらず、いいことをしたような気分になってしまいます。何しろ「目標」をめぐって常日頃から葛藤を繰り返しているので（健康第一！　でも楽しみたい！）、たとえ見えすいたトリックでも、むしろ喜んで引っかかるのです。

1992年に起きた〈スナックウェルズ〉クッキーの大流行などは、この手のモラル・ライセンシングを説明するにはまさにうってつけでしょう。ダイエット中の人でも、パッケージに〝脂肪ゼロ！〟と書いてあれば、中身はしっとりふわふわのチョコレートクッキーなのに、気分はすっかりヘルシー。〝脂肪ゼロ〟のハロー効果にだまされて、このお砂糖たっぷりの甘いお菓子を平らげてしまい、体重が増えた人たちが続出しました（何を隠そう、私もそのひとりです）。

最近の研究を見ても、魔法の言葉が古いものから新しいものにすり替わっただけだとわかります。〝オーガニック〟という表示のついた〈オレオ〉クッキーは、ふつうの〈オレオ〉よりもカロリーが少ないように感じて、毎日食べても大丈夫だと思ってしまうらしいのです。

これを「グリーン・エコ効果」とでも呼びましょう——オーガニックのものを食べるのは、健康によいだけでなく地球のためにもなるという考えです。

環境にやさしいクッキーだと思えば、栄養面の問題なんておかまいなし。それで、環境保護の意識の高い人ほどオーガニック・クッキーのカロリーを軽く見て、毎日のように食べてしまったわけです。ちょうどダイエットをしている人たちが健康ハロー効果にだまされて、ハンバーガーにサラダをつければ安心と思っていたように。

このように、何かをいいと思ってそれにこだわってばかりいると、正しい判断ができなくなり、「いい」ことだと信じて自分を甘やかすせいで、長期的な目標を見失いかねません。

### マイクロスコープ 誘惑の「キーワード」を見つける

自分の好きな物のいい面にだけ注目して、買いすぎたりしていませんか？　あなたがつい惑わされてしまうキャッチフレーズはありますか？　たとえば、「1点買えばもう1点無料」「天然100パーセント」「フェアトレード」「オーガニック」「チャリティー」など。今週は、「魔法の言葉」が目標の邪魔になっていないか、注意してみましょう。

## エコ活動が罪悪感を鈍らせる

「小さなことから地球を救おう」と、節電タイプの電球に変えようとか、買い物にはエコバッグを持参しようとか、さまざまな呼びかけが行なわれています。〝カーボンオフセット〞対応の商品を勧められたこともあるかもしれません。これは言ってみれば、エネルギーの消費や過剰消費に対し、お金で埋め合わせをする仕組みです。

たとえば、飛行機のファーストクラスで旅行する人は、環境のことを考えると胸がちくりと痛むので、少しよけいにお金を払って南米の植樹プロジェクトに貢献するといった具合です。

そのような行為じたいは環境にとってよいものです。けれども、私たちがそのせいで勘ちがいをしてしまうとしたらどうでしょう。環境によいことをしていれば、地球のことを真剣に考えるようになり、いつでもエコなことをしようと心がけるでしょうか？　それとも、環境によいことをしているのだからといい気分になって、かえって害を及ぼしてしまうでしょうか？

私がそんな心配をするようになったのは、環境にやさしい行為がもたらすモラル・ライセンシング効果を示す研究結果が発表されたときでした。人は充電式乾電池やオーガニックのヨーグルトなどのエコ商品を販売するウェブサイトをながめているだけで、よいことをしているような気分になってしまうというのです。

しかし、環境にやさしいことをしようと思うことが、必ずしもよい行ないにつながるとはかぎりません。その研究では、環境にやさしい商品を購入した人たちに、正解するごとにお金をもらえるテストを受けてもらったところ、カンニングをする傾向が見られました。また、正解した分のお金を封筒から取る際に、よけいにちょろまかす人が多く見られました。環境にやさしい買い物をしたせいで気が大きくなったのか、なぜか平気でウソをついたり盗んだりしてしまったのです。

まさかプリウスに乗ることが即ウソつきへの道だとはいえないとしても、この研究結果が示したのは頭の痛い問題です。イェール大学の経済学者マシュー・J・コッチェンは、

〝環境にやさしい〟小さな活動が消費者や企業の罪悪感を鈍らせてしまい、かえって害をもたらす行為につながるのではないかという懸念を提起しました。

環境問題に関心があっても、そのためにライフスタイルを大幅に変えるのは容易なことではありません。気候変動やエネルギー不足の深刻さを見すえ、悲惨な将来を招かないために何をすべきかを考えるのは、あまりにも荷が重いかもしれません。そこで、少なくとも自分のやるべきことはやった（だからもうこの問題については考えなくていい）と思えるようなことがあれば、すぐに飛びつきます。そうして罪悪感や心配がなくなれば、晴れ晴れとものムダの多い暮らしに戻っていけます。

そんな調子で、エコバッグを持参したせいでつい要らないものまで買ってしまったり、木を1本プレゼントするのだからとせっせと旅行にいそしんだり、節電タイプの電球を使うのだからと、電気を大量に消費する住宅に住みたくなったりするのです。

## 罰則をつくればルール破りが増える？

しかし、環境にやさしいことがすべてやみくもな消費や二酸化炭素の大量排出につながっているわけではありません。メルボルン大学の経済学者らの発見によれば、ライセンシング効果が最も生じやすいのは、人びとが悪い行ないに対して〝罪滅ぼし〟のためにお金を払う場合です。たとえば、家庭の電力消費によって二酸化炭素が発生する罪滅ぼしに、木を1本植えるための費用として2・5ドル負担するなど。すると、環境に悪いことをしているという意識が薄れ、その結果、さらにエネルギーを消費してもかまわないと思いがちになります。

そのほかペナルティ制度に関しても同じような傾向が見られます。たとえば、保育園で子どものお迎え時間に遅れた保護者にチャージを請求することにしたところ、かえってお迎えに遅れる保護者の数が増えました。

保護者は時間に遅れる権利をお金で買ったつもりになり、遅れても悪いと感じなくなったのでした。だいたい、少しくらいよけいにお金を払ってでもラクをしたいと思うのが人情ですから、こういう方法では誰かにツケが回ってしまうでしょう。

ところが、人びとが環境に悪いものをやめて環境によいものを手に入れるためにお金を払うときには——たとえば、自然エネルギーを使用するために電気代を10パーセント多く支払うなど——そのようなライセンシング効果はまったく見られません。経済学者の推測によれば、そういったエコ活動は環境に対する消費者の意識をさらに高めるため、環境に悪いことをすることに対して鈍感になったりはしないわけです。

通常より高い料金を払ってでも風力エネルギーや太陽エネルギーを使おうとするとき、私たちはこう考えます。「私は地球のためによいことをするタイプの人間だ」。そして、他のことにおいてもそのようなアイデンティティに従って、自分の価値観や目標にふさわしい生き方をしようと模索します。

ですから、もし人に地球にやさしい行動をしてほしいと望むなら、「私は環境問題に関心のある人間だ」というアイデンティティを抱かせるのが賢いやり方だといえます。まちがっても、北極や南極の氷冠を溶かす権利を買ってやった、などと思わせてはいけないのです。

よい方向へ変化を起こそうとするとき、この方法はさまざまな場面で利用できますし、自分自身のモチベーション付けにも役立つでしょう。

私たちは、正しいことをしたいとみずから望む人間だと感じる必要があります。モラル・ライセンシングがもたらすのは、つまるところアイデンティティの危機です。ほんとうの自分は悪いことがしたい人間だと考えていると、よいことをした自分に対して「ごほうび」をあげたくなります。そういう考え方では、自制心を発揮することは「罰則」のようになり、自分を甘やかすことが「ごほうび」になってしまうのです。

しかし、それではあまりにも情けなさすぎます。モラル・ライセンシングのワナにはまらないようにするには、「ありのままの自分が最高の自分になることを望んでいる」のだと、そして、「自分自身の価値観に従って生きていきたい」のだと、しっかり自覚する必要があります。

そのように思えれば、衝動的で怠け者で誘惑に負けやすい自分を〝ほんとうの〟自分だなどと思わなくなります。ごほうびにつられ、だまされるようにして無理やり目標を追いかけ、何の努力もしていないのに「ごほうび」をもらって喜ぶようなまねはしなくなります。

## 最後に

自己コントロールを求めるあまり、意志力の問題を何でもかんでも善悪で考えるのはまちがいです。私たちはよいことをしたり考えたりしただけで、すぐに自分のことをいい人間だと思ってしまい、挫折《ざせつ》しても正当化するのがうますぎるからです。自分がほんとうに望んでいることを忘れ、物事をただ善し悪しで判断していると、抑えるべき欲求が強くなって、自滅的な行動をしてしまいます。

軸がぶれないようにするには、目標に自分を重ね合わせ、よいことをしてもハロー効果で目がくらまないようにすることが重要です。

## 第4章のポイント

意志力のチャレンジに取り組むにあたり、道徳的によいことをしているような気分になると、よいことをした分、悪いことをしてもかまわないような勘ちがいを起こしてしまう。自己コントロール力を向上させるには、道徳的な善し悪しよりも、自分の目標や価値観をしっかりと見つめること。

### マイクロスコープ

▸自分の「言い訳」を知る
意志力のチャレンジで成功すると「よくやった」と自分をほめ、つぎは「悪い」ことをしてもかまわないと開き直っていませんか?

▸「あとで取り返せる」と思っていませんか?
今日はダメでも明日挽回すれば大丈夫、と言い訳することはありますか?　その場合、翌日はちゃんとやりとげていますか?

▸誘惑の「キーワード」を見つける
いいところだけに注目して(ディスカウント、脂肪ゼロ、環境保護など)悪いことを正当化していませんか?

### 意志力の実験

▸「なぜ」を考えれば姿勢が変わる
よいことをしたのだから自分を甘やかしてもかまわないと思っているのに気づいたら、ちょっと落ち着いて、それがごほうびに値するかどうかではなく、自分は「なぜ」よいことをしたのかと考えてみましょう。

▸「明日も同じ行動をする」と考える
意志力のチャレンジにおいて、日によって目標をかなえるための行動にばらつきが出ないように注意しましょう。

# 第5章
# 脳が大きなウソをつく
## ――欲求を幸せと勘ちがいする理由

1953年、モントリオールのマギル大学の若きふたりの科学者、ジェームズ・オールズとピーター・ミルナーは、ラットの不可思議な行動の謎を解き明かそうとしていました。彼らはラットの脳に電極を埋め込み、電気ショックを送れるようにしました。他の科学者らの発見によりラットの脳のなかに恐怖反応を起こす場所があることがわかったのですが、まさにそこを刺激しようとしたのです。その科学者らの実験報告によれば、実験用ラットはいずれも電気ショックを非常に嫌がり、脳にショックを与えられそうになると逃げ回りました。

ところが、オールズとミルナーの実験用ラットは、ケージの隅で電気ショックを与えたところ、自分から何度もそこへ戻っていったのです。まるで、もういちど電気ショックを欲しがっているかのようでした。

ラットの奇妙な行動に困惑した彼らは、ラットは電気ショックをほしがっているという仮説を試すことにしました。こんどは、ラットがケージの隅から離れて少しでも右へ動くたびに弱いショックを与えました。すると、ラットはすぐにコツをつかみ、数分後にはケージの反対側まで移動していました。やがて、ラットは電気ショックを与えてもらえるならどんな方向にでも動くことがわかりました。まもなくオールズとミルナーは、まるでゲームのレバーを操るように、自由自在にラットを動かせるようになっていました。

ラットの中脳にあるこの場所を刺激すれば恐怖反応が起こるという例の科学者たちの報告はまちがっていたのでしょうか？　それとも彼らが使ったラットはたまたまマゾっ気があったのでしょうか？

じつは、社会心理学者のオールズは実験のスキルが乏しく、なんと電極を埋め込む場所をまちがえてしまったのでした。このミスによって偶然に発見されたのは、刺激を受けると強烈な快感が生まれる場所のようでした。そうでもなければ、ラットが電気ショック欲しさに自在に操られたはずがありません。オールズとミルナーはその場所を「脳の快感センター」と呼びました。

とはいえ、オールズとミルナーは自分たちが発見したものをいまひとつよく理解できていませんでした。じつは、ラットは快感をおぼえていたのではなく、「欲求」を感じていたのです。神経科学者たちがラットの身に起きたことから最終的に学んだことは、私たちが経験する欲求や誘惑や依存症について多くのことを解き明かしてくれます。

これから見ていくとおり、こと幸せに関するかぎり、脳は私たちを正しい方向へ導いてくれるとは期待できません。脳の仕組みにつけ込んだ、新しい神経学マーケティングが、私たちの脳を巧みに操って欲望を抱かせようとする様子を明らかにし、その誘惑に打ち勝つにはどうしたらよいかについて考えます。

## 人が刺激を「やめられない」脳の部位

脳の快感センターを発見したオールズとミルナーは、その部分を刺激した場合にどの程度の快感が得られるのかを実験して確かめることにしました。

ラットには実験前の24時間はエサを与えません。そして、両端にエサを置いた小さな短いトンネルを用意し、その真ん中にラットを置きます。ふつうならラットは端っこへすっ飛んでいってエサにかじりつくはずです。けれども、ラットがエサにたどり着くまえに電気ショックを与えたところ、ラットはその場から離れようとせず、ピクリとも動きませんでした。すぐ目の前にエサが転がっているのに、それよりもまた電気ショックが欲しくて、じっと待っていたのです。

それでは、ラットが自分で電気ショックを受けられるようにしたらどうなるでしょうか。オールズとミルナーはそれを確かめるため、ラットがレバーを押すとラットの脳の快感センターが電流で刺激される仕掛けをつくりました。

レバーを押すと何が起きるかがわかったとたん、ラットは5秒おきに自分自身に電気ショックを与え始めました。他の数匹のラットもこの装置に自由に近づけるようにしたところ、みんな飽きることなくレバーを押し続け、しまいにはくたびれて動けなくなってしまいました。

そのうえ、ラットは脳に電気ショックを受けるためなら、苦痛さえも我慢することがわかりました。オールズは電流の通った網の両端にレバーを設置し、双方のレバーによって一度ずつ交互に電流が流れるようにしました。すると、ラットたちはひるむことなく電流の通った網の上を行ったり来たりして、とうとう足がやけどで真っ黒になり、動けなくなるまでやめようとしませんでした。この実験によって、このような行動を引き起こすのは快感であるとしか考えられない、とオールズはますます確信を深めました。

やがて、ある精神科医がこの実験を人間で試してみようと思い立ちました。テュレーン大学のロバート・ヒースは、患者たちの脳に電極を埋め込み、新しく発見された快感センターを刺激するコントロールボックスを与えました。

ヒースの患者たちが示した行動は、オールズとミルナーの実験用ラットの行動にそっくりでした。何回でも好きなだけ刺激を受けてもいいと指示したところ、患者たちはなんと平均で1分間に40回も脳を刺激したのです。休憩時間に食べ物を載せたトレーが置かれても――患者たちはお腹がすいていたにもかかわらず――刺激をとめたくないばかりに食べようとしませんでした。ある患者などは、担当者が実験を終了して電流をとめようとするたびに猛烈に抗議したほどです。また、ある人は電流を切ったあとも200回以上もボタンを押し続け、係員が制止するまでやめようとしませんでした。

ヒースはこのような結果を見て、脳にみずから刺激を与えることはさまざまな精神障害にとって有効な治療技術であると確信し（患者たちもえらく気に入っている様子でした）、どうせなら患者の脳に電極を入れたままにして、ベルトの上から装着できる小型の自己刺激装置を与え、いつでも好きなときに使えるようにすればよいと考えました。

## 快感の「予感」が行動を狂わせる

ヒースもオールズやミルナーと同じように考えていました。つまり、被験者たちは自分にせっせと電気ショックを与え続け、食べ物を口にする暇すら惜しむほどだったので、しびれるような快感を味わうという〝報酬〟を手にしているのだろうと考えたのです。そして事実、患者たちは電気ショックを受けると気持ちがいいと言っていました。

しかし電流を切られやしないかと心配しながら、ひっきりなしに自分に刺激を与え続けていたことを考えると、それはほんとうに満足している状態とは呼べないのではないでしょうか。

ある患者は発作性睡眠障害（ナルコレプシー）を患っており、眠らないようにするために携帯用の刺激装置を持たされました。この患者は自己刺激を与えたときの気持ちを非常に苛立たしいと述べています。「頻繁に、ときには気が狂ったようにボタンを押した」にもかかわらず、もう少しで満足感が得られそうな気がしながら、とうとう最後まで満足は得られなかったのです。自己刺激を与えてもあせるばかりで、少しも楽しくありませんでした。彼の行動はたしかに快感を覚えているというよりは、何かに衝《つ》き動かされているような感じでした。

それでは、オールズとミルナーの実験用ラットが動けなくなるまで自分を刺激し続けたのも、快感のあまりやめられなかったのではないとしたら、いったいどういうことだったのでしょうか？

ラットが刺激し続けていた脳の領域は、ラットにしびれるような快感を与えていたのではなく、もう少しで快感を得られそうな「予感」を与えていただけだったのだとしたら？

とすると、ラットが自分を刺激し続けていたのは、もう一度レバーを押したらこんどこそきっとすごく気持ちよくなれる、と脳が期待させていたからでしょうか？

じつは、オールズとミルナーが発見したのは、快感センターではありませんでした。彼らが見つけたのは、現在、神経科学者らが「報酬システム（報酬系）」と呼んでいる部位でした。彼らが刺激を与えた部分は、脳のなかでも最も原始的なモチベーションのシステムで、行動と消費を促進するために発達したものです。だからこそ、オールズとミルナーの最初のラットは、最初に電気ショックを受けたケージの隅っこでいつまでもじっとしていたり、他のラットたちもエサも食べず、足のやけども我慢して、何とかもういちど脳に電気ショックをもらおうとがんばったりしたのです。

その部分が刺激されるたびに、ラットの脳が叫びます。「もういちどやれ！　気持ちよくなるぞ！」そうして刺激を受けるたびに、ラットはますます刺激が欲しくなりましたが、刺激を受けることじたいからは何の満足感も得られませんでした。

おわかりかと思いますが、このような反応を引き起こすのは、何も脳に埋め込まれた電極だけではありません。私たちの世界は刺激に満ちあふれています。レストランのメニュー、商品カタログ、宝くじ、テレビCM……。そんな身の周りの刺激のせいで、私たちはオールズとミルナーのラットよろしく、幸せの予感を追い求めてしまいます。そうすると、私たちの脳は欲望でいっぱいになり、「やらない力」を発揮するのはきわめて難しくなるのです。

## ドーパミンは「幸福感」をもたらさない

脳の報酬システムは、どのようにして私たちに行動を起こさせるのでしょうか？　脳は報酬が手に入りそうだと認識すると、ドーパミンという神経伝達物質を放出します。このドーパミンが脳全体に指令を出し、注意力を集中して、欲しいものを手に入れようとします。ドーパミンがいっきに放出されたときに感じるのは幸福感ではなく、むしろ興奮に近いものです。人はこれによって神経が研ぎ澄まされ、敏感になり、欲望で頭がいっぱいになります。快感が得られそうな予感がして、そのためなら何でもしようという気になります。

この数年、神経科学者たちはドーパミン放出効果に対し、「追求」「欠乏」「欲求」「欲望」などさまざまな呼び名を与えてきました。しかし、ひとつだけ明らかなことがあります。実際にはドーパミン放出効果によって、好ましさや満足や喜びなどは感じられないということです。

これに関しては複数の実験が行なわれています。脳のドーパミン系を完全に破壊されても、ラットは砂糖を与えられれば大喜びします。しかし、ごほうび欲しさに行動することはなくなりました。つまり、砂糖は好きだけれど、それをもらうまえから欲しがることは

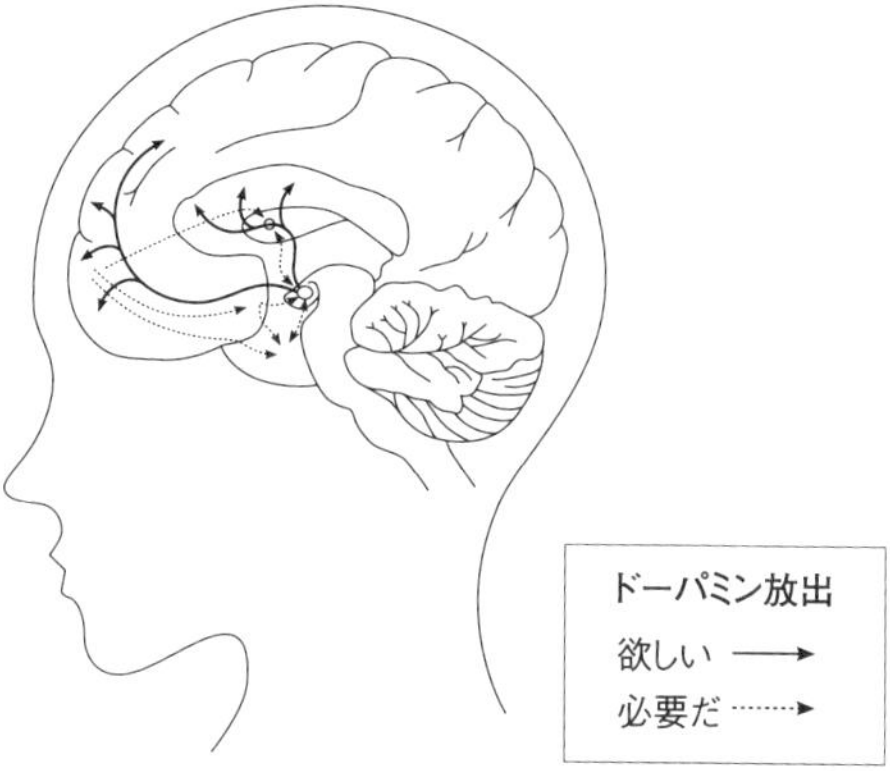


中脳の“報酬の予感”反応

なくなったのです。

2001年、スタンフォード大学の神経科学者ブライアン・クヌットソンは、決定的な実験結果を論文として発表し、「ドーパミンには報酬を期待させる作用があるが、報酬を得たという実感はもたらさない」ことを明らかにしました。クヌットソンが用いた手法は、有名な行動心理学者イワン・パブロフの古典的条件付け、いわゆる「パブロフの犬」です。1927年にパブロフが行なった実験では、犬たちにエサをやるまえにベルを鳴らすようにしたところ、犬たちはしだいに食べ物が見当たらないときでも、ベルの音が聞こえたとたんによだれを出すようになりました。ベルの音が聞こえたらエサをもらえる、と学習していたのです。
そこでクヌットソンは考えました。脳も報酬が得られると予感した場合、よだれが出るのと同じような反応を表すのではないか。そして、そのときの脳の反応というのは、実際に報酬を得たときに脳が示す反応とは異なるのではないか、と。

クヌットソンは被験者たちに脳スキャナーを装着させ、スクリーンにある記号が表れた場合はお金がもらえる、と説明しました。ただし、お金をもらうにはボタンを押さなければなりません。記号がスクリーンに現れるやいなや、ドーパミンを放出する脳の報酬センターが作動し、被験者は報酬を得ようとしてボタンを押しました。

しかし、被験者が実際にお金を受け取ったときには、脳のこの領域の活動は沈静化していました。つまり、実際に報酬を得た喜びは、脳の他の領域に表れたのです。クヌットソンはこれにより、ドーパミンの作用は行動を起こすためのもので、幸福感をもたらすものではないことを証明しました。脳は「報酬の予感」を抱かせることによって、被験者がうっかり報酬をもらい損ねたりしないようにしたわけです。報酬システムが作動したとき、被験者たちが感じたのは「期待」であり「喜び」ではありませんでした。

快感を得られそうなものは何であれ——おいしそうな食べ物から淹《い》れたてのコーヒーの香り、店頭の50パーセントオフのセール表示、見知らぬ人の魅惑的な微笑み、大儲けを約束する広告まで——この報酬システムを作動させます。

人はドーパミンが大量に放出されると、欲しくなったものを何が何でも手に入れなければ気がすまなくなります。ドーパミンの働きで注意力はすべてそこへ向けられ、それを手に入れること、あるいは繰り返し行なうことしか考えられなくなってしまうのです。

これは生まれつき備わっているサバイバル本能のようなものでしょう。そのおかげで大昔なら、木の実を見つければ飛びついたので飢え死にすることもなく、パートナーを誘惑するのを面倒がって人類の絶滅を加速するような事態も避けられました。進化にとっては人間の幸福感など関係ありませんが、人間に生き延びる努力をさせるため、幸福の予感が利用されてきたのです。

つまり幸福の「予感」は人間が狩りや採集で食べ物を手に入れ、せっせと働き、繁殖の相手を探すように仕向けるための脳の戦略だったのです。

けれども、私たちが現在置かれている環境は、人類の脳が発達してきた大昔の環境とは非常に異なっています。ひとつ例をあげてみましょう。私たちが脂肪分や糖分の高い食べ物を見たり匂いをかいだりすると、ドーパミンが大量に放出され、そのせいでやたらと大量に食べたくなってしまいます。食料が乏しい環境においては、これは非常に役に立つ本能です。

しかし、食料があり余っているばかりか、ドーパミン効果を最大限に引き出すように仕組まれた環境では、ドーパミンが出るたびに衝動に従っていては、長生きをするより肥満になることまちがいなしです。

あるいは、性的な画像が報酬システムに与える影響を考えてみましょう。かつて人類の長い歴史において、繁殖の相手を見つけでもしないかぎりは、セクシーなポーズで誘うようなヌードにお目にかかる機会などありませんでした。

DNAを着実に残すためには、そのような機会を逃さないようにするのは賢い選択だったでしょう。しかしそれから数十万年、私たちが現在暮らしているのは、つねにインターネット上にポルノが氾濫《はんらん》している時代であり、広告やエンターテインメントにいたるまで、性的な画像を目にしないことなどないほどです。こうした性的な〝機会〟をことごとく追い求めていたら、成人向けサイトにはまるのがオチです――そして、デオドラント剤からデザイナージーンズにいたるまで、性的なイメージを利用した商品の宣伝にも、まんまと引っかかってしまいます。

## 「携帯ドーパミン装置」が生活を埋め尽くしている

脳の原始的なモチベーションのシステムに、現代のテクノロジーによってお手軽な満足がもたらされると、私たちはドーパミン放出を促す道具を手放せなくなってしまいます。

読者のみなさんのなかには、家の留守番電話のボタンを押してメッセージを確認するときのドキドキを覚えている方もいらっしゃるでしょう。いまや時代は流れ、モデムがＡＯＬに接続し、パソコンが「メールが届いています！《ユー・ガット・メール》」とつぶやくのが楽しみになりました。そのうえ、フェイスブックにツイッターに携帯メール——先に触れたロバート・ヒースの自己刺激装置の現代版とでも呼ぶべきものがあふれ返っています。「新しいメッセージが届いているかも」「ＹｏｕＴｕｂｅの次の動画は笑えるかも」などと思いながら、私たちは取り憑かれたようにクリックし続けてしまいます。まるで携帯電話やブラックベリーやノートパソコンが脳に直接つながっていて、ドーパミンを絶えず刺激しているかのようです。

人間はこれまでもさまざまな依存症を経験し、夢想したり、吸引したり、注射したりしてきましたが、テクノロジーほど脳に強烈な依存症の効果をもたらしたものはないといっていいでしょう。私たちはテクノロジーのとりこで、つねにさらなる刺激を求めています。現代の特徴ともいうべきインターネット生活は報酬の予感にふり回される最たる例でしょう。私たちは情報をサーチします。さらにサーチします。それでも飽き足りずにサーチし、マウスをクリックし続けます——まるでケージの中のラットが、こんどこそ満足感をもたらしてくれるはずの幻の報酬を求めて、何度でも電気ショックを受けようとしたように。

携帯電話やインターネット、その他のソーシャルメディアが人間の報酬システムに食い込んできたのは偶然のなりゆきかもしれませんが、コンピューターやテレビゲームのデザイナーたちは、脳の報酬システムを意図的に利用してプレイヤーをとりこにしています。もしかしたら、こんどは次のレベルへ進めるかも、すごいスコアを獲得できるかも、と期待してしまうからこそ、ゲームにはたまらない魅力があります。そんなゲームをやめるのは至難の業です。

ある研究では、テレビゲームをやり続けると、アンフェタミンを服用した場合と同じくらいドーパミンが増加することがわかりました。このようにドーパミンが急増するからこそ、人はテレビゲームにもアンフェタミンにも病みつきになってしまうのです。

これは見方しだいでは最高のエンターテインメントともいえますが、ゲーム利用者の弱みにつけ込んだ、けしからん代物だともいえます。誰も彼もが〈Xｂｏｘ〉に夢中になるわけではありませんが、ゲームが好きな人はそれこそドラッグと同じくらい病みつきになってしまいます。

２００５年には、28歳のボイラー修理工イ・スンソプが「スタークラフト」というゲームを50時間連続でプレイし続けた結果、循環不全を起こして亡くなってしまいました。彼は睡眠も食事もとらず、ひたすらゲームに熱中していたのです。オールズとミルナーの実験のラットたちが動けなくなるまでレバーを押し続けたことを思い出さずにはいられません。

## マイクロスコープ　ドーパミンの引き金を探す

あなたの場合はどんな物がドーパミン放出を引き起こすか自覚していますか？　食べ物？　お酒？　ショッピング？　フェイスブック？　それとも何か他のものでしょうか？　今週は、思わずあなたが注意を引きつけられるものに注目してみましょう。

あなたにとって、これさえ手に入ればいいのにとひたすら追い求めてしまうものは何でしょう？　パブロフの犬やオールズとミルナーのラットのように、よだれを垂らして夢中で欲しがってしまうものは何でしょうか？

## 目新しいものほど「報酬システム」を刺激する

ある報酬を期待してドーパミンが放出されると、人は他のさまざまなものにも誘惑されやすくなります。たとえば、エッチな画像を見た男性が金銭的なリスクを冒したり、宝くじに当せんしたらどうしようと妄想している人がやたらと大食いになったり……。ドーパミンが急増すると目先の快楽がやたらと魅力的に見え、長期的にどのような影響が表れるかなど考えられなくなってしまうのです。

このことに気づいたのは誰だと思いますか？　あなたのお金をねらっている人たちです。私たちが買い物をする環境は、あらゆる面で、つねにさらに多くの物を欲しくなるように仕組まれています。大手の食品メーカーは糖分と塩分と脂肪を絶妙に配合し、あなたのドーパミン神経細胞を狂わせます。宝くじのコマーシャルを見れば、１００万ドル当たったらどうしようと夢想しないではいられません。

スーパーも手をこまねいてはいません。スーパーは顧客のドーパミン効果が最大になった状態で買い物をしてもらいたいので、最もお買い得の目玉商品を入口付近と中央に並べます。私は近所のスーパーに行くと、まずパン売り場の試食コーナーに吸い寄せられてしまいます。

これは偶然ではありません。スタンフォード大学のマーケティング研究者らによれば、買い物客はドリンクやフードの試食によって、よけいにお腹がすいたり喉《のど》が渇いたりして、報酬を求める状態になってしまうのです。

なぜでしょうか？　それは、試食サンプルは無料《フリー》であり食べ物《フード》であり、２つの大きな報酬の予感を結びつけるものだからです（これで魅力的な女の子がサンプルを差し出してくれたら、あなたは３つめのＦワードを口にしてしまうかもしれません！）。

ある実験では、甘い物のサンプルを食べた被験者は、ステーキやケーキなどのごちそうやセール品を買ってしまう確率が高くなることがわかりました。ドリンクやフードのサンプルを食べたせいで、いかにも報酬システムが活性化しそうな商品の魅力がさらに増幅してしまったのです。

この実験を行なったスタンフォード大学の研究者たちは、食物や栄養の専門家21名に実験結果を予測してもらいました。すると、ショッキングなことに、そのうち81パーセントの人は正反対の結果を予測しました。試食サンプルを食べた買い物客は空腹や喉の渇きがおさまり、何かを食べたいという欲求が満たされるのではないかと考えたのです。つまり、専門家も含めほとんどの人が内なる欲求や行動に影響を与える環境的な要因を、どれほど意識していないかがわかります。

たとえば、自分は広告の影響など受けないと思っている人はたくさんいます。しかし、多くの研究で明らかになっているとおり、テレビでスナック菓子のCMを見た人は、冷蔵庫のドアを開ける確率が高くなります。ダイエット中でスナック菓子を我慢している人はなおさらです。

また、脳の報酬システムは、目新しいものや変化に富んだものに反応します。ドーパミン神経細胞は、見慣れた報酬にはあまり反応しなくなるのです――毎日飲んでいるモカ・ラテや、定番のスペシャルランチなど大好物であっても、です。〈スターバックス〉やファーストフードの〈ジャック・イン・ザ・ボックス〉のような店が、通常のメニューに加えてつねに新商品を投入しているのも、偶然ではありません。衣料量販店がワードローブの基本アイテムに新色を追加するのも同じこと。

「レギュラーコーヒー？　うーん、何か他にないの？　あれ？　何だろう――ホワイト・チョコレート・ラテ？」ほら、わくわく感が戻ってきました！　お気に入りの通販カタログのケーブル編みのセーターにしても……。「こんなの平凡すぎてつまんないか。でも待って、新色が出てる――キャラメルソルト・ブラウンにメルトバター・イエローだって！」さあ、ふたたびドーパミンの日々の到来です！

## 本能を操作・誘導する人たち

さらに、脳の原始的な部分を刺激して限定のお買い得品に飛びつかせるための価格のトリックもあります。「1点買えばもう1点無料」作戦や、「60パーセントオフ！」の赤札まで、お買い得なものは何でもドーパミンの大量放出を招きます。とくに威力が抜群なのは、ディスカウントショップの値札。バカ高い「希望小売価格」のすぐとなりに安い売値が表示されています。

アマゾンはこの効果を知り尽くし、したたかに利用していますが、あなたの脳はすみやかに差額を計算し、（おかしなことに）そのぶん儲かったかのように感じてしまうのです。

「999ドルの品物が44・99ドル？　うわっ、ボロ儲け！」いったい何に使うのか見当もつかなくても、さっさと買い物カートに入れてしまいます！

「タイムセール」や「残りわずか」の品物を見つけようものなら（正午までの限定セールや、本日限定のお買い得品もそう。「現品限り」なんて言われるとよけいにあせります）、食料の乏しいサバンナでやっと見つけた食べ物のように、目の色を変えてゲットします。

ビジネスの世界では何もないところに欲望を生み出そうとして、香りを利用しています。おいしそうな匂いがすると、人はたちまち報酬の予感をかぎつけます。香りの分子が嗅覚受容体に届いたとたん、脳はその香りの源《みなもと》を探します。

こんどファーストフードのお店の前を通りかかって、フライドポテトやハンバーガーの匂いに魅かれてしまったら、深々と吸い込んでいるのは食べ物の香りではなくて、食欲を刺激するためにわざとまき散らされた化学物質の匂いだと思ったほうがよいでしょう。

セントエア社のホームページでは、「香りのマーケティングのリーダー」たる人物が、香りの仕掛けによってホテルの下の階にあるアイスクリームショップに客を見事に誘導した様子を語っています。戦略的に配置されたアロマ送風装置によって、階段の上にはクッキーの甘い香りを送り、階段の下にはワッフルコーンの香りを送ったのです。

たまたま通りかかった女性は、本物のお菓子の香りが漂ってきたと勘ちがいします。けれども、彼女が思いきり吸いこんだのは、ドーパミン神経細胞を最大限に活性化させる強力な化学物質で、彼女を――そしてそのお財布を――階段の下へ引っぱっていくためのものでした。

もちろん、科学は金儲けのためだけではなく、よい目的にも利用することができるわけで、公正を期すためにいえば、香りのマーケティングは世の中のためになることにも利用されています。

フロリダ州のある病院のMRI部門では、〝ココナッツ・ビーチ〟の香りと〝海〟の香りを待合室に漂わせたおかげで、検査をドタキャンする人の数が減りました。報酬の予感を少しでも感じると、そのおかげで心配が和らいで、やりたくないと思っていることでもやってみる気になるのです。

他の産業やサービス業でも同じような戦略が使えそうです――歯科医院の中に〝ハロウィン・キャンディ〟の香りを漂わせるのもいいでしょうし、税理士事務所だったら〝マティーニ〟の香りなどもよいかもしれません。

## ドーパミンを刺激する「戦略」を見抜く

神経学マーケティングや販売のトリックを授業で紹介すると、受講生たちはこぞって身近な例を探そうとします。意志力のチャレンジの失敗のうちかなりの部分は、生活環境にドーパミンの分泌を引き起こすものが存在するせいだと気づいたからです。

自分たちのお気に入りの店が仕掛ける戦略を見抜いた受講生たちは、翌週の授業でいろいろな報告をしてくれます。キッチン用品の販売店では香りのキャンドルを焚いたり、ショッピングモールの入口ではスクラッチ式の割引券を配布したり。衣料品店の壁面をモデルのヌード写真が飾っているのも、オークションの競売が安値から始まるのも、すべてワケがあることに気づきました。また、いったんそのことに気がつくと、こちらを巧みに誘惑してドーパミン神経細胞を刺激し、お金をまきあげようとするさまざまなワナがいやおうなく目に入ってきます。

それに気づいた受講生たちは、みんな口をそろえたように自信がついたと言います。トリックを見抜くのが楽しいのです。それに、買い物をしていても以前は腑に落ちなかった謎が解けるようになります――お店で見たときはものすごく素敵に見えた品物が、家に帰ってみるとなぜつまらない物に見えるのか。それは、判断を狂わせたドーパミンが消え失せたからです。

ある女性は、退屈なときはいつも自然とグルメ食品のお店に足を向けていましたが、その理由がわかりました。彼女はそこへ行ってもべつに何か食べるわけでもなく、ぶらぶらして商品をながめているだけです。

つまり、彼女の脳はドーパミンを放出させる確実な方法を知っており、それを利用していたのです。

別の受講生は、通販カタログの購読を中止しました。そのカタログを見ていると、ドーパミンが出てしまうらしいのです。カラフルなページをめくるたびに新しいものが欲しくなり、何か買わずにはいられない気分になりました。

また、会議の出張でラスベガスに行った受講生は、ドーパミン神経細胞を過剰なまでに刺激しようとするカジノの戦略に気づきました。裸同然のショーガールたちや食べ放題のビュッフェ。誰かが勝つたびに店内に鳴り響くブザーやピカピカと輝くライト。彼はその手に引っかからなかったおかげで、すっからかんにならずにすみました。

私たちはいやがおうでも欲望をかき立てられる世界に生きていますが、少し注意を払うことでトリックをいくらか見抜けるようになります。戦略を見抜いたからといって、欲望がすべてなくなるわけではありませんが、少なくとも「やらない力」を発揮して抵抗するチャンスは生まれます。

## マイクロスコープ　心を動かすものの正体を暴く

小売店やマーケティング担当者が、どのような方法を使って客の購買意欲を刺激しているかに注目しましょう。

スーパーに行ったり広告をながめたりするときに、遊び感覚で試してみてください。どんな匂いがしますか？　目を引くものや音の効果が使われていますか？　あなたを巧みに誘惑しようとする仕掛けに気づけば、まんまと引っかかったりせず冷静な目で商品を見ることができるでしょう。

## 退屈な作業を「ドーパミン化」する

授業で神経学マーケティングについて議論すると、受講生のなかには、ある種の広告や小売店が仕掛ける目に見えないワナは違法とするべきだ、と言い出す人が必ずいます。気持ちはわかりますが、そんなことは不可能に近いでしょう。そういう意味で〝安全〟な環境をつくるためには無数の制限を課さなければなりませんが、そんなことはできそうにないばかりか、ほとんどの人にとってはおもしろくないでしょう。

私たちは欲望を「感じたい」のです。よかれあしかれ、私たちは欲望に満ちた世界が大好きで、いつも夢を見ていたいのです。ウィンドーショッピングをしたり、高級誌をながめたり、オープンハウスをのぞいたりするのが楽しいのはそういうわけです。私たちのドーパミン神経細胞が誘惑にさらされない世界など想像するほうが難しいほどです。たとえドーパミンを刺激する要素が排除されても、私たちは新たに欲望を刺激してくれる何かを探さずにはいられないでしょう。

報酬の予感を生み出すものを違法扱いするわけにはいかないのですから、いっそのことうまく利用すればよいのです。神経学マーケティングの手法を見習って、ちっともやりたくないことを〝ドーパミン化〟しましょう。

報酬を設定することによって、つまらない作業を楽しくすることができます。もし、やっていることに対する報酬があまりにも先になる場合は、いつか手に入るはずの報酬を思い描いて、少しよけいにドーパミンを放出させます（宝くじのコマーシャルと似たような手かもしれませんが）。

経済学者の中には、「退職に向けて貯金をする」「期限内に税金を納める」といった〝あまりおもしろくない〟ことをドーパミン化してはどうかと提案する人たちもいます。たとえば、銀行預金の金利は低いですが、預金をしたら多額の賞金の宝くじに当せんする可能性があるとしたらどうでしょう。宝くじを買うのは好きでも預金はまったくしていない人たちは、預金をするたびに10万ドルが当たる可能性があるなら、せっせと貯金しようという気になるかもしれません。

あるいは、納期までに税金を支払い、収入と控除をすべて正直に申告した人のうち、抽選に当たれば1年分の税金に相当する金額が戻ってくるようにします。そうすれば、あなたも4月15日の期限よりまえに申告をすませる気になるのではないでしょうか？　国税庁はこんな提案はなかなか取り上げてくれないかもしれませんが、企業などが社員に経費精算書の提出期限を守らせるためには、かんたんでよい方法かもしれません。

報酬の予感は、依存症の克服にも利用されています。アルコールや薬物の依存症に最も効果的な方法のひとつは、「金魚鉢《フィッシュ・ボウル》」と呼ばれています。薬物検査に合格した患者たちは、ボウルの中に入っているたくさんの紙切れから1枚を選んで取ることができます。紙切れのうち半分は、1ドルから20ドルまでの賞金の当たりくじになっています。そして、たった1枚だけ、100ドルの当たりくじが入っているのです。半分の紙切れは賞金ゼロですが、代わりに「その調子でがんばろう」などのメッセージが書いてあります。

つまり、金魚鉢の中に手を入れても、せいぜい1ドルの賞金が当たるか、励ましのメッセージがもらえるだけかもしれません。そんなことでやる気が出るとは思えないかもしれませんが、じつは効果があるのです。

ある実験では、金魚鉢のごほうび作戦を行なった場合、患者の83パーセントが12週間の治療を最後まで続けたのに対し、金魚鉢のごほうびなしで通常の治療を行なった患者では、最後まで治療を受けた人はたったの20パーセントでした。また、金魚鉢作戦を行なった患者の8割がすべての薬物検査に合格したのに対し、通常の治療を行なった患者ですべての検査に合格したのはその半分の4割でした。治療が終了したあとも、金魚鉢作戦のグループは――もう金魚鉢のごほうびはもらえなくなったのに――通常の治療を行なった患者に比べ、再発の可能性もはるかに低かったのです。

驚いたことに、薬物検査に合格したら定額の報奨金をもらえる仕組みよりも、金魚鉢作戦のほうが効果がありました。けれども、患者が金魚鉢の当たりクジでもらった賞金は、ほとんどの場合、報奨金よりもずっと少額でした。この結果を見れば、思いがけない報酬の効果がどれほど大きいかがわかります。

脳の報酬システムは、ある程度のお金が確実にもらえるより、大金をもらえる可能性があるほうが興奮します。そして、それを勝ち取るためなら何だってしようという気になります。だからこそ、みんな2パーセントの利率で預金するよりも宝くじを買おうと思うわけです。そんなわけで、企業ではいちばん下っ端の社員にさえ「いつかCEOになれる可能性はある」と思わせるのが大事なのです。

## 意志力の実験　「やる力」とドーパミンを結びつける

受講生たちは、音楽やファッション誌やテレビなどいろいろなものを利用して、ずっと先延ばしにしていた用事をドーパミン化しました。面倒な書類をお気に入りのカフェに持っていき、ホットチョコレートを飲みながら片づけた人もいます。目先が変わっていておもしろかったのは、スクラッチ式の宝くじを何枚も買って、片づけるべき場所に点々と置いた人。他にも、難しい仕事が大成功した様子をビジュアル化して、はるか先に手に入るはずの報酬に現実感をもたせた人もいました。

もし、あなたも面倒でやりたくないと思っていることがあるならば、ドーパミン神経細胞を活性化させる何かと結びつけ、やる気を起こしてはいかがでしょうか。

## 「欲しいもの」は反射的に不安を生みだす

このように、ドーパミンはやる気を出すのにおおいに役立つため、たとえドーパミンのせいでデザートを注文したくなったり、クレジットカードの限度額までショッピングをしたくなったりしても、この小さな神経伝達物質を悪魔のように言い立てるのは無理があります。

とはいえ、ドーパミンにはたしかに悪い面もあるので、よく注意していればそれに気がつくでしょう。何かが欲しくてたまらないとき、私たちの脳や体で起きていることを落ち着いて観察すれば、私たちは報酬への期待によってわくわくするのと同じくらい、ストレスも感じているのに気づくはずです。

欲望を感じているとき、私たちはいい気分でいるとは限りません。ときにはどうしようもなく最低な気分になるほどです。ドーパミンのおもな役割は私たちに幸せを「追い求めさせる」ことであって、私たちを幸せにすることではないからです。ドーパミンは私たちに多少のプレッシャーを与えてでも幸せを追い求めさせようとします。その過程でこちらが不幸な気分を味わおうがおかまいなしです。

あなたに欲しいものを手に入れさせるために、報酬システムはアメとムチのふたつの武器を用意しています。最初の武器は、もちろん、報酬への期待です。

このような期待感が生まれるのは、ドーパミンを放出する神経細胞が、喜びを期待したり行動を計画したりする脳の領域に働きかけるせいです。これらの領域がドーパミンの作用を受けると欲望が生まれます。すなわち、人をやる気にさせるアメです。

けれども、報酬システムはムチのような働きをする第2の武器を用意しています。あなたの脳の報酬センターがドーパミンを放出すると、脳のストレスセンターにも信号を送ります。ドーパミンは脳のこの領域でストレスホルモンの放出を引き起こします。その結果、欲しいものを期待すればするほど不安が募《つの》ります。何が何でも欲しいものを手に入れたいと思うあまり、のっぴきならない、生きるか死ぬかの一大事のように感じます。

研究者たちは、チョコレートを食べたいと思っている女性たちの心のなかで、欲求とストレスが葛藤を繰り広げる様子を観察しました。チョコレートの画像を見た女性たちは驚愕反応を示しました——警戒や覚醒に関する生理的な反射作用で、まるで草原で肉食動物に遭遇したかのような反応です。そのときどんなふうに感じたかをたずねたところ、女性たちは喜びと不安を同時に感じ、そのうえ自制心が利かなくなったといいます。

私たちも同じような状態になると、わくわくした気分になるのは欲しいもののせいで、ストレスを感じるのはそれがまだ手に入らないせいだと思います。つまり、欲しいもののせいでわくわくもすればストレスも感じるということがわからないのです。

## マイクロスコープ　欲望のストレスを観察する

欲望を感じているとき、ほとんどの人はいい思いができそうな期待でいっぱいになり、ドーパミンのせいで起きる欲望にはつきものの「実際の嫌な気持ち」はあまり気にとめません。今週は、何かを欲しいと思う気持ちがストレスや不安を生んでいるのに気がつくかどうか、注意してみましょう。

もしあなたが誘惑に負けたら、それは報酬への期待にそそのかされたせいでしょうか？　それとも、不安を和らげようとしたせいでしょうか？

## 脳内物質に操られて破滅的な行動をし続ける

オールズとミルナーは、実験用のラットがエサに見向きもせずに電流の通った網の上を行ったり来たりして走り回っているのを目の当たりにして、勘ちがいをしてしまいました。私たちがドーパミンの作用で行なっていることを勘ちがいするのと同じことです。

一心不乱に欲しいものを求め続け、それを手に入れるためなら努力を惜しみます、苦痛さえもいとわないようなとき、私たちはそれほどまでに欲しいものが実際に手に入ったら、きっと幸せになれると思い込んでいます。気がつけばいつもチョコバーや新しいキッチン用品を衝動買いしたり、お酒のお代わりを注文したり、新しいパートナー、もっといい仕事、もっと儲かる株……そうやって際限なく追い求めているうちに疲れ切ってしまいます。

報酬への期待があまりにも強烈なせいで、私たちは少しも楽しくないのに欲しいものを求め続け、満足をもたらすどころか悲惨な結果を招くものを消費し続けます。ドーパミンのおもな働きは報酬を追い求めることですから〝ストップ〟信号を出すことなどありえません。たとえその報酬が期待はずれだとわかっても、やめようとしないのです。

コーネル大学の食品・商標研究所所長のブライアン・ワンシンクは、フィラデルフィアのある映画館の観客を対象に実験を行ない、そのことを証明しました。映画館の甘い香りのポップコーンのまえでは、ドーパミン神経細胞が躍りだすことまちがいなし——お客は行列し、最初のひと口を夢見ながらパブロフの犬よろしく舌をのぞかせ、よだれを垂らすはずです。映画館の売店では、ワンシンクの依頼によって2週間まえにつくったポップコーンを客に販売しました。ワンシンクは、客が映画館のポップコーンはおいしいに決まっているか思い込んで食べ続けるか、それともおいしくないのに気づいて食べるのをやめるかを知りたかったのです。

映画の終了後、客たちは2週間まえにつくったポップコーンはひどい味だったと言いました。固くなってしけていて胸が悪くなりそうだったというのです。では、彼らはポップコーン売り場に押しかけて返金を求めたでしょうか？　とんでもない、パクパク食べていました。しかも、つくりたてのポップコーンを食べた客と同じで6割も食べていました！彼らは自分たちの味覚よりもドーパミン神経細胞の指示に従ったわけです。

「そんなバカな」と首をひねってしまうかもしれませんが、このようなトリックにだまされない人はほとんどいません。あなた自身の最大の「やらない力」のチャレンジを考えてみてください。おそらく、それはあなたが楽しい気分になれると信じているもの、あるいは、たくさん手に入れれば楽しい気分になれると思っているものではないでしょうか？

しかし、実際に経験したことや結果を注意深く分析してみれば、往々にして、まるで逆であることがわかります。誘惑に負けてしまえば、報酬を期待するあまり欲求が強くなって、あせる気持ちからは解放されます。しかし結局、欲求不満はみたされず、自分に失望して恥ずかしくなって、うんざりしてしまう。あるいは、報酬を手に入れたわりにちっとも楽しくない、ということになるでしょう。

とはいえ、多くの研究が証明しているとおり、そのようなまやかしの報酬を追い求めた虚しい経験に注意を払うようになると、呪文は解け始めます。脳が報酬に期待するもの――うれしさ、喜び、満足、悲しみやストレスへの終止符など――と、脳が実際に経験するものとを一致させるように仕向けると、あなたの脳はとうとう期待のほうを調整するようになります。

たとえば食べすぎが習慣になっている人の脳は、たとえ口いっぱいに食べ物をほおばり、お腹もはち切れそうでもさらに要求します。そうやって食べれば食べるほどあせりが生まれます。あまりに早食いすぎて口に詰め込んでいる物の味すら感じていないこともあります。食べ終えるころには、体もしんどく気分も悪くなってしまいます。

しかし、いつもは無我夢中でむさぼっている食べ物を落ち着いて味わいながら食べると、味もさることながら、見た目も匂いもおいしく感じ始めます。

そんな人がゆっくり食べようとするのは、最初はつらいかもしれません。けれども、研究によれば、味わって食べる練習をした人は、食べ物に関して自制心が強くなり、大食いが減りました。時間が経つにつれて体重が減っただけでなく、ストレスや焦燥感や憂うつ感も軽減されました。このように、まやかしの報酬を期待する気持ちから自分を解放すれば、満足感をもたらすと信じていたものが、じつは自分をみじめな気持ちにさせる原因だったことがわかります。

意志力の実験

## 快感の誘惑に負けてみる

わざと誘惑に身をさらして、報酬への期待を感じてみましょう。これをすれば楽しい気持ちになれると思い込んでいるせいで、つい負けてしまうような誘惑です。授業でよく出てくる例としては、スナック菓子やショッピング、テレビ、Eメールやポーカーゲーム、ネット上のさまざまな暇つぶしなど。あえてそういうものを楽しむことにします。

まず、報酬への期待が高まるとどんな感じがするかに注目しましょう。期待や希望を感じたり、興奮したり、あせったり、唾が出たり――脳や体に起きているさまざまな現象を観察します。そのうえで、わざと誘惑に負けてみます。そのとき実際に感じた快感は、期待どおりでしたか？　満足して、報酬への期待は消えたでしょうか？　それとも、もっと食べろ、もっと使え、もっとやれ、とあなたをさらに駆り立てるでしょうか？

いつになったら満足するのでしょうか？　そもそも、満足することなどあるのでしょうか？　それともたんにお腹がいっぱいになったり、疲れたり、イライラしたり、時間がなくなったり、もしくは報酬が品切れになったりして、続けられなくなるだけなのでしょうか？

このエクササイズを試した人は、最終的にだいたい次の2つのうちどちらかのパターーンに分かれます。①楽しいと思っていることを心から味わうようにしたところ、思っていたよりずっと少しの量で満足できることがわかった。②報酬への期待と実際に得た快感があまりにかけ離れていることがわかり、すっかり幻滅してしまった。いずれの場合も、自分ではコントロールできないと思っていた行動を、以前よりもうまくコントロールできるようになるでしょう。

## 欲望がなくなった人間はどうなるか？

ドーパミン抑制剤を処方してほしいなどと医師に頼むまえに、報酬への期待のよい面も見ておいたほうがよいでしょう。欲望に従えば満足を得られると勘ちがいすれば困ったことになりますが、では欲望を完全になくせばよいかというと、そんなことはありません。欲望のない人生には自制心も必要ないでしょうが、そんな人生はきっと生きるに値しません。

アダムは自制心が強いほうではありませんでした。現在33歳、一日に約10杯の酒を飲み、クラック・コカインを吸い、ときにはエクスタシーまでやっています。薬物乱用歴は長く、9歳から酒を飲み始め、13歳でコカインに手を出し、大人になったころにはマリファナやコカインやアヘンやエクスタシーに病みつきになっていました。

ある日、すべてが変わりました。パーティをやっていた部屋から緊急治療室へかつぎこまれたのです。違法な薬物所持で捕まるのを恐れたアダムは、持っていた薬物をいっぺんに全部飲んでしまいました（とても賢い方法とは言えません。しかし、肩を持つわけではありませんが、頭が朦朧《もうろう》としていたのです）。コカイン、エクスタシー、オキシコドン、メタドンを乱用した結果、血圧が危険なほど低下し、脳への酸素供給が減ってしまいました。

それでもアダムは何とか息を吹き返し、やがて集中治療室から出ることができましたが、一時的にせよ酸素欠乏が起きたせいで深刻な影響が出ていることがわかりました。もはやアダムはドラッグやアルコールに対する欲望をすっかり失っていました。以前は毎日薬物を使用していた彼が、いまや完全な禁断状態にあることが、6カ月にわたる薬物検査で確認されました。この奇跡的な変貌ぶりは神のお告げのせいでもなければ、死にかけたせいで目が覚めたからでもありません。アダムにいわせれば、ただすべて欲しくなくなったというのです。

そう聞くと、物事が何だかよい方向へ変わったように思えますが、欲望を失ったのはコカインやアルコールだけではすみませんでした。アダムは欲望そのものを完全になくしてしまったのです。何をしても、楽しい気分にはなれそうにありませんでした。体力も落ち、集中力もなくなり、みんなから離れてひとりで過ごすようになりました。楽しいことを期待する能力をなくしたアダムは、希望を失い、深刻なうつ状態に陥ってしまいました。

いったいなぜ欲望がなくなったのでしょうか？　アダムの治療にあたっていたコロンビア大学の精神科医たちは、彼の脳をスキャンした結果、その答えを見つけました。薬物の過剰摂取による酸素欠乏のせいで、脳の報酬システムに障害が残っていたのです。

アダムの症例は医学専門誌「アメリカン・ジャーナル・オブ・サイキアトリー」で報告されたほどで、依存症者が欲望を完全に喪失するという劇的な変化を遂げたわけですから、異例ともいえるでしょう。

しかし、欲望を失ったせいで楽しいことを期待できなくなった人の例は、他にもたくさんあります。心理学者はこれを「無快感症」と呼びます。文字通り〝快感がない〟のです。無快感症の人たちは、毎日の暮らしに満足を求めることはいっさいなく、ただ習慣をこなすだけです。

食べたり、買い物をしたり、人に会ったり、セックスをしたりしても、そこから喜びを得ることは期待していません。喜びを感じなくなれば気力もなくなります。何をしてもいい気分になれないと思ったら、ベッドから起き出すのさえつらくなります。このように欲望をまったく感じなくなると、希望がもてなくなり、やがては多くの場合、生きる意欲をなくしてしまいます。

報酬システムが反応しないときは無感動になっているのであり、それは満足している状態とはいえません。それで、パーキンソン病の患者の多くは――脳でドーパミンが充分に生成されないため――憂うつで、情緒が不安定になります。実際、神経科学者たちは、報酬システムの機能低下が、生物学的にうつ病を引き起こす原因になっているのではないかと考えています。科学者らがうつ病の人びとの脳の活動状態を調べたところ、目先の報酬をまえにしても報酬システムの活性状態が維持されないことがわかりました。

多少の活動は見られても、「欲しい」とか「何が何でも手に入れよう」という強い気持ちは生まれません。そのせいで、うつ病の多くの人が経験するように、欲望ややる気を失ってしまうのです。

## ほんとうの報酬とまやかしの報酬を見分ける

もしかしたら、あなたも受講生たちのように途方に暮れているかもしれません。報酬を期待したところで喜びを得られるとはかぎらず、かといって、報酬をまったく期待しなくなれば喜びも感じなくなります。報酬への期待が高すぎれば誘惑に負けてしまいますが、報酬を期待する気持ちがなければ、やる気も起きません。

このジレンマに対しては、かんたんな答えはありません。人生に興味をもって取り組んでいくためには、報酬への期待が欠かせないのは明らかです。運がよければ、報酬システムはずっとそのために働いてくれるでしょう――これで、害になることさえなければありがたいのですが。

私たちの暮らしはテクノロジーで彩られ、広告であふれ、24時間絶えず何かを求め続けながらも、満たされることのない日々を送っています。そんな私たちが、もしいくらかでも自制心を手にしたいと思うなら、人生に意義を与えてくれるようなほんとうの報酬と、分別をなくして依存症になってしまうようなまやかしの報酬とを、きちんと区別しなければなりません。そのような区別をできるようになることが、私たちにできる最善のことなのです。

これは必ずしもかんたんなことではありませんが、脳のなかで起きていることを理解すれば、少しは容易になるでしょう。オールズとミルナーのラットが必死にレバーを押し続ける姿を思い描くことができれば、たとえ誘惑にかられても、脳がつく大きなウソにだまされない分別をもてるのではないでしょうか。

## 最後に

欲望は、行動を起こすために脳が仕掛ける戦略です。これまで見てきたとおり、欲望は自己コントロールに対する脅威にもなれば、意志力の源にもなります。ドーパミンが私たちを誘惑へと駆り立てるとき、私たちは欲望と幸せを区別しなければなりません。しかし、いっぽうで私たちは、ドーパミンや報酬への期待を利用して、自分や他の人たちのやる気を引き出すこともできます。

つまるところ、欲望じたいはよくも悪くもありません。大切なのは、欲望によって自分がどこへ向かおうとしているのか、そしてどういう場合なら欲望に従ってもよいかを見きわめられるかどうかなのです。

## 第5章のポイント

私たちの脳は報酬を期待すると必ず満足感が得られると勘ちがいするため、実際には満足感をもたらさないものでも必死に追い求めてしまう。

### マイクロスコープ

▸ドーパミンの引き金を探す
あなたがどうしても手に入れたくなるほど、報酬への期待をかきたてるものは何ですか?

▸心を動かすものの正体を暴く
小売店やマーケティング担当者が、どんな方法で顧客の報酬への期待をかきたてようとしているか、観察してみましょう。

▸欲望のストレスを観察する
何かを欲しいと思う気持ちのせいで、ストレスやあせりを感じているのに気がつきましょう。

### 意志力の実験

▸「やる力」とドーパミンを結びつける
ずっと先延ばしにしていることがあるなら、あなたのドーパミン神経細胞を活性化させるものとうまく結びつけて、やる気を起こしましょう。

▸快感の誘惑に負けてみる
楽しい気分になれるはずなのになぜか満足感が得られないことを、あえてやってみましょう(スナック菓子、ショッピング、テレビ、ネットでの暇つぶしなど)。実際にやってみて、期待していたとおりに楽しいと思いましたか?

# 第6章

# どうにでもなれ

## ――気分の落ち込みが挫折につながる

落ち込んだとき、あなたは気晴らしに何をしますか？　たいていの人は楽しい気分になれそうなことをするでしょう。米国心理学会によれば、最も一般的なストレス解消法は、食べたり飲んだりする、あるいはショッピング、テレビ、インターネット、テレビゲームなど、いずれも脳の報酬システムを活性化させるものです。別に悪いことではないでしょう。ドーパミンが分泌されれば、気分がよくなります。私たちが気晴らしに、ドーパミンを大量に放出するものを求めるのもごく自然なこと。息抜きのようなものです。

気晴らしをしたくなるのは、いわば健康的な生き残りのメカニズムで、危険から逃れようとするのと同様、人間の本能です。しかし、何に息抜きを求めるか、それが重要です。報酬を期待しても――これまでにも見てきたように――必ずしも期待どおりに楽しい気分になれるかというと、そうではありません。息抜きのつもりでしたことが、逆に害になることはよくあります。

米国心理学会のストレスに関する全国調査で明らかになったとおり、最も一般的なストレス解消法は、実際にそれらの方法を行なっている人びとから、ほとんど「効果がない」と評価されました。たとえば、食べることでストレスを発散している人のうち、この方法が実際に効果的だと答えたのは、たったの16パーセントでした。

別の実験では、女性は不安を感じたり落ち込んだりするとチョコレートを食べることが多いということがわかりました。ところが、チョコを食べても気分がよくなるどころか、かえって後ろめたさを感じるだけでした。せっかく好物のお菓子を食べてもそんなありさまでは、たまったものではありません！

これから、ストレスや不安や後ろめたさが自己コントロールに及ぼすさまざまな影響を見ていきますが、気分が落ち込んでいると、思いがけないかたちで誘惑に負けてしまうことがわかるでしょう。

喫煙に対する恐ろしい警告表示のせいで、喫煙者はかえってますますタバコを吸いたくなったり、経済危機のせいでむしろ人びとの購買欲は高まったり、毎晩ニュースを見ているせいで、なぜか太ってしまったり。まったくわけのわからないような話ですが、いかにも人間らしいともいえます。

このようなストレスによる意志力の挫折を防ぐには、誘惑に負けることなく気分転換のできる方法を見つける必要があります。そして、自分を責めたり批判したりして自分をコントロールしようとするのは、やめなければなりません。そんなことをしても、さらに落ち込むだけだからです。

## 大半の「ストレス解消法」は意味がない

じつは、落ち込んでいると、脳はとりわけ誘惑に負けやすくなります。科学者はさまざまな方法を考案して被験者にストレスを与えましたが、結果はいつも同じでした。たとえば喫煙者が歯医者に行かなくてはと思うと、なぜか猛烈にタバコが吸いたくなります。大食漢の人が人前でスピーチを命じられると、こってりした甘い物が食べたくなります。

実験用ラットにいきなり電気ショックを与えると（脳の報酬センターにではなく体に！）、ラットはアルコール、砂糖、ヘロインなど、研究者がケージのなかに用意した物に飛びつきます。これが実験室ではなく、人びとが現実にストレスを感じた場合は、禁煙や禁酒や薬物断ちやダイエットなどを破ってしまう恐れが高くなります。

なぜストレスを感じると欲求が生まれるのでしょうか？　それは、いわば脳によるレスキュー作戦なのです。私たちはすでにストレスが闘争・逃走反応を引き起こすことを学びました。危険から身を守るため、体にはさまざまな変化が起こります。

しかし、脳はあなたの生命を守ろうとするだけでなく、気分も安定させようとします。そこで、ストレスを感じると、脳はとにかく気が晴れるようなことをさせようとします。ストレスを感じると――怒り、悲しみ、自信喪失、不安などのネガティブな感情も含めて――脳は報酬を求める状態に切り替わることを、神経科学者たちは証明しました。あなたは報酬が期待できると脳が判断したものを欲しくなり、気晴らしのためにはその〝報酬〟を手に入れるしかないと思い込みます。

たとえば、コカイン依存症の人が家族とのケンカや職場の誰かに批判されたことを思い出すと、脳の報酬システムが活性化して、コカインが猛烈に欲しくなります。闘争・逃走本能によって発生したストレスホルモンも、ドーパミン神経細胞の興奮を高めます。つまり、ストレスを感じている状態では、どんな誘惑もやたらと魅力的に感じてしまうのです。

ある実験では、チョコレートケーキに対する参加者の反応を調べました。参加者には過去に何かで失敗した経験を思い出してもらいます。その前と後で、参加者がチョコレートケーキについて感じたことを比較します。どの参加者も、気分が落ち込んだときはケーキがおいしそうに見えたと回答しました。しかも驚いたことに、チョコレートケーキは好きではないと言っていた人たちまでが、気分直しにケーキを食べてみようという気になったのです。

ストレスを感じていないときは、やけ食いなどしてもほんとうの気晴らしにはならないとわかっているはずですが、いざストレスに襲われ、脳の報酬システムが「冷凍庫に〈ベン&ジェリーズ〉のアイスクリームが入ってるよ！」と叫んだとたん、分別は吹っ飛んでしまいます。

ストレスは私たちをまちがった方向へ進ませ、思慮分別を失わせ、いたずらな本能のままに動かそうとします。まさに、ストレスとドーパミンのワン・ツー・パンチ。その結果、ほんとうは効果などないのに、原始的な脳が喜びへ至る道だと決めつけた作戦を、私たちは何度も繰り返すことになります。

報酬を期待して息抜き作戦に出ると、とんでもないことをしでかす恐れがあります。ある経済調査では、お金の心配をしている女性は、不安や憂うつを紛らわせるために買い物をしてしまうという結果が出ました。明らかに矛盾していますが、即効の気晴らしを望む脳にとっては、じつに理にかなった行動です。あなたもショッピングをすると気が晴れるなんて思っていると、お金の心配を紛らすために買い物をしてしまうかもしれません。

大食いで太りすぎていて恥ずかしいと思いながらも食欲を抑えられない人が気晴らしにするのは――そう、もちろん――さらに食べまくること。のんびりしていたせいでプロジェクトのスケジュールが遅れ、すっかりあせった人たちが、そのことを考えたくないばかりに仕事をさらに先延ばしにしてしまったり。いずれの場合も、自己コントロールよりも気晴らしが優先されてしまうのです。

## 意志力の実験　根拠のある方法を実行する

大半のストレス解消法は役に立たないとしても、なかにはほんとうに効果があるものもあります。米国心理学会は最も効果的なストレス解消法として、「エクササイズやスポーツをする」「礼拝に出席する」「読書や音楽を楽しむ」「家族や友だちとすごす」「マッサージを受ける」「外へ出て散歩する」「瞑想やヨガを行なう」「クリエイティブな趣味の時間をすごす」などの例をあげています（最も効果が低い方法は、ギャンブル、タバコ、お酒、やけ食い、テレビゲーム、インターネット、テレビや映画を2時間以上観る、などです）。

効果のある方法とない方法では、おもにどこがちがうのでしょうか？

ほんとうに効果のあるストレス解消法は、ドーパミンを放出して報酬を期待させるのではなく、セロトニンやγ《ガンマ》アミノ酪酸《らくさん》などの気分を高揚させる脳内化学物質や、オキシトシンなどの気分をよくするホルモンを活性化させます。また、脳のストレス反応をシャットダウンし、体内のストレスホルモンを減らして治癒反応や弛緩《しかん》（リラクゼーション）反応を起こします。

そのようなストレス解消法を試した場合は、ドーパミンが放出されたときのように興奮したりはしないため、どんなに気分がよくなったか、はっきりとは気づかないことが多いのです。したがって、私たちがそのような効果的なストレス解消法を忘れがちなのは、効果がないからではありません。ストレスを感じているときの脳は、どうすれば気が晴れるかについて正しい判断ができないからです。そのため、確実に気分転換ができる方法を私たちは選ばないことが多いのです。こんどストレスを感じて息抜きをしようと思ったときは、「効果的な息抜き方法」を試してみましょう。

## 死亡事故を見たらロレックスが欲しくなる

昨夜、私はうっかりテレビのニュース番組を観てしまいました。冒頭に、アメリカで計画されていたテロリストによる爆破未遂事件のニュースが流れたかと思えば、お次は海外のミサイル攻撃、続いて、元交際相手の女性を殺害した若い男が逮捕されたというニュースが流れました。やがてコマーシャルに入る直前、アナウンサーが次のニュースを予告します。「私たちが毎日食べているある食品に発がん性があることがわかりました」。そこで画面はパッと切り替わり、自動車のコマーシャルが流れます。

こんなとき、以前はよく戸惑いを感じました。企業は何でこんなうんざりするようなニュースのあいだにCMなんか流すのだろう？　夜のニュースをにぎわす恐ろしい事件と商品のイメージが、視聴者の頭のなかで結びついてもかまわないのかしら？　だいたい、残酷な殺人事件やテロ攻撃の脅威のニュースを観たあとに、デパートのセールに行きたくなる人なんているわけないのに――そう思っていました。ところがどっこい、「恐怖管理」という心理現象のなせる業で、あなたも私もセールに行きたくなってしまうかもしれないのです。

「恐怖管理理論」によれば、人間は――自然なことですが――自分の死を考えるとき、恐怖を感じます。死について考えないようにすることはできても、死から逃れることはできません。自分もいつかは死ぬのだと思うたびに（夜のニュース番組を観ていれば29秒ごとに）、脳ではパニック反応が起こります。

私たちは必ずしもそれに気づくわけではありませんが、無意識に不安を感じ、わけもなく重苦しい気分になったりします。はっきりと意識してはいないにしろ、死の恐怖を感じたことで、私たちのなかには無力感を打ち消そうとする、やむにやまれぬ衝動が生まれます。それで、何でもいいから安心感や安らぎを与えてくれるもの、自分が強くなったように感じさせてくれる、お守りのようなものにすがりつくのです（2008年、バラク・オバマはこれを指摘して窮地に立たされました。サンフランシスコの聴衆に向かって、先行きが不透明な時代には、人びとは「銃か宗教にすがりつく」ものだと言ってしまったのです）。

政治の話はともかく、恐怖管理理論からは意志力の問題における失敗について多くのことを学ぶことができます。恐怖を感じたとき、私たちがすがりつくのは銃や神さまだけではありません。多くの人はクレジットカードやカップケーキやタバコにすがりつきます。数々の実験が示しているとおり、いつかは死ぬ運命にあることを思い出すとき、私たちはありとあらゆる誘惑に負けやすくなります。楽しい気分になれるものでほっとひと息ついて、希望や安心感を得ようとするからです。

たとえば、スーパーで買い物をする人たちを対象にした実験では、参加者に自分の死について考えてもらったところ、買い物リストが長くなったり、甘い物や好物をふだんよりよけいに買いたくなったり、チョコレートやクッキーをいつもよりたくさん食べたくなったりしました（これで売り手の戦略もお見通しです。葬儀業者がスーパーのカート置場のわきでパンフレットを配布したりするのにも、じつはそんな裏があるのです）。

別の実験では、人が死亡したニュースをテレビで観た視聴者は、高級車やロレックスの時計など、贅沢品の広告に購買意欲をそそられることがわかりました。ロレックスをしていればミサイル攻撃から身を守れるわけではありませんが、そういう品物を所有することで自己のイメージが高まり、パワフルになった気がするわけです。

多くの人にとって、楽観的になったり気持ちを落ち着けたりするには、買い物はお手軽な方法です。私たちアメリカ人は、ジョージ・W・ブッシュ大統領の願いを喜んで聞き入れました。「ミセス・ブッシュと私は、アメリカ国民のみなさんにぜひショッピングに出かけてほしいと願っています」――2001年9月11日のテロ攻撃直後のブッシュの発言です。

## タバコの警告表示はなぜ「逆効果」なのか?

飛行機がビルに突っ込まなくても、私たちの心のパニック・ボタンは作動します。それどころか実際に人が死ななくても、テレビのドラマや映画のなかの死であっても同じような効果があり、私たちは買い物をしたくなってしまうのです。

ある実験で、1979年の感動映画『チャンプ』の死別のシーンを観た人たちは、ふだんの3倍もお金を使って衝動買いをしてしまう(そして後悔する)ことがわかりました。ここで重要なのは、この実験に参加した人たちは、あの映画を観たせいでよけいな買い物をしたくなったことに気づいていなかったことです。

たとえば、ふつうの水筒を買うつもりが、つい金属製の保冷ボトルを買ってしまったり(しかし、テレビで「ナショナル・ジオグラフィック」のグレートバリアリーフ特集を見ていた人たちは、保冷ボトルには興味を示さず、散財せずにすみました)。そんなふうに思いつきで買ったものの半分は家でがらくたと化し、クレジットカードの請求額は増えるいっぽうです。何となく元気が出ないときに、ちょっといいなと思う物を見つけると、ささやき声が聞こえてきます――ドーパミン神経細胞です――「買わなくちゃ。こんなすぐれモノがあったなんて！」

恐怖管理戦略によって、私たちは逃れられない死から目をそらすことはできるかもしれません。しかし、誘惑に負けて快楽を味わっていたら、かえって死に急ぐことになりかねません。２００９年のある実験によれば、死亡の危険性をうたうタバコの警告表示は、喫煙者にストレスや恐怖を与えることがわかりました。公衆衛生当局の狙い通りです。

けれども残念なことに、不安に駆られた喫煙者たちが頼ったのはお決まりのストレス解消法、すなわち喫煙でした。何ということでしょうか。おかしな話ですが、ストレスが脳にどんな影響を及ぼすかを考えれば納得できます。ストレスによって欲求が生まれ、タバコをひとめ見るだけでドーパミン神経細胞が異常に刺激されてしまうのです。

もちろん、喫煙者はタバコの箱をにらむようにして警告メッセージを読みますが、そんなものは役に立ちません。喫煙者の脳が「〈警告〉タバコはガンの原因になります」というメッセージを認識し、自分の死に向き合ったとしても、脳のどこかから叫び声が聞こえてきます。「心配ご無用、タバコを吸えば気分がよくなるよ！」

世界的に見ても、タバコの警告表示に腫瘍《しゅよう》や遺体の絵や画像を取り入れる傾向が高まっています。はたしてこれがよい方法なのかどうかはわかりません。恐怖管理理論に従って考えれば、画像が恐ろしいものになればなるほど、喫煙者は不安を打ち消すためにますますタバコを吸いたくなるでしょう。

しかし、これから喫煙者になるのを防いだり禁煙の決意を固めたりするのには、かなり効果的かもしれません。このような新しい警告表示に喫煙量を減らす効果があるかどうか、確かなことはまだわかりませんが、思わぬ結果を招くかもしれない可能性も注視していく必要があるでしょう。

## マイクロスコープ 「あなたが恐れていること」は何ですか？

今週は、恐怖管理の現象を引き起こす原因になりそうなものを意識してみましょう。新聞やテレビやインターネットではどんなニュースが流れていますか？　地元の公園で新しい「人食いバクテリア」に感染する恐れ？　またしてもアフリカミツバチが発生？　ビルの爆破、車の衝突死亡事故、被害者が自宅で遺体となって発見された殺人事件――。ついでに、恐怖戦略を利用してCMを流している商品にはどんなものがあるか調べてみましょう。あなたの意志力のチャレンジに関係のあるものでしょうか？

あなたが思わず安心や安らぎを求めずにはいられなくなるような、脅し作戦や警告表示を見かけることはありますか？

恐怖管理が起きると、私たちは誘惑になびくだけでなく、物事を先延ばしにしがちです。ずっと先延ばしにしている物事には、どこか死を連想させるところがあるものです。たとえば、「病院の診察予約をする」「処方薬の調剤を頼んで薬を携帯する」「遺言状などの法的書類を整える」「退職に備えて貯金をする」、あるいは「もう二度と使わない物や着られなくなった服を捨てる」など。

あなたにもずっと先延ばしにしていることや〝つい忘れがち〟なことがあるとしたら、自分の弱さを見つめるのを避けている可能性はないでしょうか。もしそうなら、恐怖に向き合うことで、かえって合理的な選択を行なえるようになります。目に見えない漠然とした影響力から逃れるのは難しくても、自分の頭できちんと理解したことについては、比較的かんたんに行動を変えることができるからです。

## ニュースをやめたら夜食が減った

ヴァレリーは夜になると片づけものをしたり、子どもたちが翌日に学校で必要なものを準備したりしながら、リビングのテレビを1時間から2時間つけっぱなしにしていました。たいてい、行方不明の人や未解決事件、犯罪などを特集するニュースチャンネルを観ています。どれも興味をそそられる話ばかりで、ときには見たくないような画像が出てきたりしても、なぜか目をそらすことができません。

私の授業で恐怖管理理論の話をしたとき、ヴァレリーは初めて真剣に、毎日あんな残酷な事件のニュースばかり見ていて大丈夫かしら、と考えました。そして、夜になると塩気の強いスナックや甘いお菓子が食べたくなるのも（それをやめるのも彼女の意志力のチャレンジのひとつでした）、ひょっとしたら、少女の誘拐や妻の殺害など、事件のニュースと関係があるのではないかと思い始めました。

ヴァレリーはニュースを聞いたとき、とくに子どもが巻き込まれた悲惨な事件のニュースを聞いたときに、自分がどんなふうに感じているかを意識し始めました。そして、翌週の授業で彼女はこう言いました。「ひどい気分です。みぞおちのあたりが痛いのに、どうしても目が離せないんです。私とは関係ないことなのに、大変だと思ってしまって。どうしてあんなことをしているのか、自分でもわからないんです」

ヴァレリーは悲惨なニュースばかり流すチャンネルを観ないことに決め、もっとストレスのない番組を楽しむことにしました。音楽やポッドキャストやホームドラマの再放送などです。それから1週間もしないうちに、ヴァレリーは一日の終わりには、まるで暗い雲がすっかり消え去ったような気分になりました。さらによいことに、恐怖番組を観るのをやめてもっと元気が出るような番組を観るようにしたところ、以前のように子どものおやつに持たせるはずだったナッツの袋をいつのまにか空っぽにしてしまうようなこともなくなりました。

## 「どうにでもなれ効果」――一度失敗するともっとダメになりたくなる

バーテンダーにギネスを注文する前に、40歳の男性が携帯情報端末（パームパイロット）を取り出して記録します。「1杯目のビール、午後9時4分」どのくらい飲むつもりかですって？　きっと多くてもビール2杯でしょう。数マイル離れた別の場所では、若い女性が大学の友愛会館に到着しました。10分後、彼女も携帯端末に記録しました。「ウォッカ1杯」――さあ、パーティはこれからよ！

彼らは、ニューヨーク市立大学とピッツバーグ大学の心理学者と依存症研究者が行なった実験に参加した人びとです。

この実験では18歳から55歳までの144名の成人に携帯情報端末を配布し、お酒を飲んだ記録をつけてもらいました。参加者は毎朝8時にログインして、前の晩の飲酒について、どう感じているかを記録します。研究者がぜひとも知りたいと思っていたのは、参加者が飲みすぎてしまった翌朝にどう感じるかということでした。

当然ながら、前の晩に飲みすぎた人たちは、ひどい気分で目が覚めました。頭痛や吐き気もするし、もうぐったり。でも、つらいのは二日酔いだけではありません。多くの人は後ろめたさを感じ、恥ずかしく思っていました。さて、厄介なのはここからです。前の晩に飲みすぎたせいでひどく落ち込んだ人ほど、その日の夜も、また翌日の夜も飲みすぎてしまいます。罪悪感の反動で、飲まずにはいられないのです。

これぞ、意志力にとって最大の脅威のひとつ「どうにでもなれ効果」です。

ダイエット研究者のジャネット・ポリヴィとC・ピーター・ハーマンが最初に使ったこの「どうにでもなれ効果」という言葉は、はめを外して、落ち込んで、さらにはめを外すという悪循環を表しています。

研究者たちが気づいたのは、ダイエットしている人の多くはちょっとつまずいただけで――ピザをひと切れ、ケーキをひと口食べてしまっただけで――ものすごく落ち込んでしまい、もうダイエットなんかしてもムダだとあきらめてしまうことでした。ダイエット違反を最小限に食いとめたいなら、あとひと口だって食べないほうがいいのに、開き直ってしまいます。「もういいや、どうせダイエットなんかもうパーだもん。こうなったら全部食べちゃえ」

ダイエット中の人に「どうにでもなれ効果」が生じるのは、食べるのを控えていたものを食べてしまった場合だけではありません。他の人たちよりも自分だけ多く食べすぎてしまったときも同様に後ろめたさを感じ、その反動でさらに食べてしまいます（あるいはあとでこっそりやけ食いするとか）。どんなかたちの挫折であれ、同じような悪循環につながってしまうのです。

ある意地悪な実験で、ポリヴィとハーマンは体重計に細工をして、ダイエット中の被験者の体重が実際よりも2キロほど多く表示されるようにしました。その結果、被験者たちは落ち込み、後ろめたさを感じ、自己嫌悪に陥ってしまいました。しかし、彼らは増えてしまった分の体重を減らそうと決心するどころか、うさ晴らしにやけ食いに走ってしまったのです。


どうにでもなれ効果が起きやすいのは、ダイエット中の人たちだけではありません。この悪循環はどんな意志力のチャレンジにも起きる可能性があります。禁煙中の人、禁酒中のアルコール依存症者、ムダ遣いを必死に我慢している人、性的衝動を抑えようとしている児童性的虐待者などにも、同じような悪循環が見られます。

どんな意志力のチャレンジであれ、パターンは同じなのです。誘惑に負けたことで自己嫌悪に陥ってしまい、気晴らしに何かしたくなります。

最もかんたんで手っ取り早い気晴らしの方法は何でしょうか？　それは落ち込む原因をつくった、まさにそのものだったりします。ポテトチップスを2、3枚つまむつもりが、いつのまにか油でベタつく空き袋に残ったカスまでつまんでいたり、最初はカジノで100ドルすっただけのはずが、いつのまにか一世一代の大勝負に出てしまったり、といったことが起きるのです。「どうせもうダイエット（予算、禁酒、決心）なんてパーだもん、もういいや。こうなったらとことん楽しんでやる」

しかし、ちょっとつまずいたからといって、それが即、大きな失敗につながると決まっているわけではありません。危険なのは、最初につまずいたときに自分を恥じたり、後ろめたく思ったり、自制心をなくしたり、希望をなくしたりすることです。

いったん悪循環にはまってしまうと逃げられず、そのまま転げ落ちていくしかないような気がするかもしれません。すると、そのせいでさらに大きな失敗を招いてしまい、そのためにますますみじめになって、またしても自分を責め、あげくの果てに、またしても誘惑に負けてしまいます。しかし、そうやって気晴らしにやっていることはただ罪悪感を生むばかりで、悪循環を断ち切る力はないのです。

### マイクロスコープ　つまずいたとき自分に「何」を言っていますか？

今週は、意志力の問題で失敗したとき、自分がどんな態度を取っているかをよく観察しましょう。自分を厳しく批判したり、「おまえなんか絶対に変われるもんか」なんて自分に向かって言ったりしていませんか？　失敗したのは自分の欠点のせいだ（だらしなくてバカで欲深くて能ナシだから）なんて思っていませんか？　絶望したり、罪悪感をおぼえたり、恥じ入ったり、怒ったり、打ちのめされたりしていませんか？　つまずいたのを言い訳に、さらに自分を甘やかそうとしていませんか？

## なぐさめの言葉で「どうにでもなれ効果」が緩和される

ルイジアナ州立大学のクレア・アダムズとデューク大学のマーク・リアリーというふたりの心理学者が、どうにでもなれ効果を引き起こす実験を行ないました。

体重に気をつけている若い女性たちを研究室に集め、科学の名のもとにドーナツとお菓子を食べさせたのです。ふたりは、どうにでもなれ効果の悪循環を断ち切ることについて、おもしろい仮説を立てていました。罪悪感のせいで自制心を失ってしまうのなら、罪悪感とは逆の感情は自己コントロールの助けになるかもしれないという考えです。そんな彼らの変わった戦略とは――ダイエット中にもかかわらずドーナツを食べてしまった女性たちの半数をなぐさめること。

参加者の女性たちにはあらかじめ説明が行なわれました。実験は2種類あり、ひとつは食べ物が気分に与える影響を調べる実験で、もうひとつはいろいろな味のお菓子の試食です。最初の実験では、すべての女性にシュガーシロップをかけたドーナツかチョコレートドーナツのどちらかを選ばせ、4分以内に食べ終えてもらいます。

また、グラス1杯の水も飲み干すように指示されていました——これはお腹をふくらませるための策略です（お腹のあたりがきつく感じると、罪悪感が生まれやすいのです）。それから、女性たちはドーナツを食べてどんな気分になったかを調査用紙に記入します。

その後、ふたつめの実験でお菓子の試食を始めるまえに、半数の女性には罪悪感を和らげるような温かい言葉がかけられました。実験の担当者たちは、「参加者の方々のなかにはドーナツをまるごと食べたせいで罪悪感を覚える方がよくいるんです」と説明したうえで、一人ひとりに対し、「あまり自分に厳しくしないように、誰だってときには自分を甘やかすこともあるってことを、忘れないでくださいね」となぐさめました。いっぽう、残りの半数の女性たちにはとくに何の言葉もかけませんでした。

はたして自分を許すことでどうにでもなれ効果の悪循環を断ち切ることができるのか。それを試すときがやってきました。実験担当者は各参加者の前にお菓子の入った大きなボウルを3つ並べました——リーシーズのピーナッツバター・チョコレート風味のポッパーズに、フルーツ風味のスキットル、そしてヨーク・ペパーミント・パティ——どんな甘党にも受けそうなセレクションです。

女性たちはそれぞれのお菓子を食べ、味を評価するように指示されました。お菓子は好きなだけ食べても、ほんの少ししか食べなくてもかまいません。もし女性たちが、さっきドーナツを食べてしまったのを気に病んでいるとすれば、こう思うはずです。「どうせもうダイエットなんてパーなんだから、ここにあるスキットルをぜーんぶたいらげたってかまうもんですか」

試食がすんだあと、実験担当者はボウルの重さを量り、各参加者が食べたお菓子の量を割り出しました。すると、参加者が自分を許せるように導いた作戦は、みごと大成功でした。温かい言葉をかけられた女性たちが次の実験で食べたお菓子の量はわずか28グラムだったのに対し、自分を許せるようになぐさめてもらえなかった女性たちは、70グラム近くも食べていたのです（参考まで、ハーシーズのキスチョコ1個で4・5グラムです）。

この結果には、多くの人が驚きました。常識的に考えれば、「誰だってときには自分を甘やかすこともあるのだから、あまり自分に厳しくしないで」などと言われたら、ダイエット中であろうが、もっと食べたくなってしまいそうです。けれども、罪の意識が取り除かれたことによって、その女性たちは次の試食で食べすぎることはありませんでした。

私たちは、罪悪感は自分のあやまちを正すのに役に立つと思いがちですが、やはり、落ち込んでいると誘惑に負けやすくなるということでしょう。

## 自分に厳しくしても意志力は強くならない

意志力を強化するには自分にもっと厳しくするしかないと思っているかもしれませんが、

そう考えるのはあなただけではありません。しかし、それはまちがいです。数々の研究でも明らかになっているとおり、自己批判はつねにモチベーションの低下や自己コントロールの低下を招きます。また、自己批判はうつ病の最大の予兆であり、うつ状態では「やる力」や「望む力」が失われてしまいます。これに対し、自分への思いやり――自分を励まし、自分にやさしくすること――は、やる気の向上や自制心の強化につながります。

例として、カナダのオタワにあるカールトン大学で行なわれた実験を紹介しましょう。この実験では、学生たちが勉強を先延ばしにする様子を学期の最初から終わりまで記録しました。最初の試験では、多くの学生がぎりぎりまで試験勉強を始めませんでした。しかし、すべての学生にそんな習慣がついてしまったわけではありません。

最初の試験で直前まで勉強しなかったことで自分を責めた学生たちは、自分を許した学生たちに比べて、その後の試験でもやはり勉強を先延ばしにする傾向が見られました。最初の試験の準備に失敗したことで自分を責めた学生ほど、次の試験ではさらにのんびりしてしまったのです！　自分を責めるよりも許した学生のほうが、次回は着々と準備をする気になりました。

こうした結果はまるで私たちの本能に反しているように思えます。自己批判こそ自己コントロールには不可欠なはずで、自分への思いやりなんて言っていたら、自分を甘やかすいっぽうだと考えるのがふつうのはずです。なのに、これはいったいどういうことなのでしょうか？　前回はまともに試験勉強をしなかったことを悔やんでいないというなら、その学生たちはどうやってやる気を出したのでしょうか？　それに、誘惑に負けても後ろめたく思わないとしたら、私たちはどうやって自分に歯止めをかければよいのでしょうか？

驚いたことに、罪悪感を抱くよりも自分を許すほうが責任感が増すのです。研究者たちの発表によれば、失敗したことについて、自分に思いやりをもってふり返った場合のほうが、自分を厳しく批判した場合よりも、失敗したのは自分のせいだったのだ、と認めやすくなります。また、そのほうが他人の意見やアドバイスに対しても進んで耳を貸せるようになり、失敗の経験から学ぶことも多くなるのです。

自分を許すことで失敗から立ち直れる理由のひとつは、自分を許すことによって恥の意識や苦しみに苛《さいな》まれることなく、事実をありのままに見つめられるようになることです。どうにでもなれ効果は、失敗したあとに感じる嫌な気持ちから逃れようとする反応ですが、そもそも罪悪感や自己批判に悩まされなければ、逃げる必要もありません。そうすると、どうして失敗したかについて考えるのがずっとラクになり、同じ失敗を繰り返さないようになります。

それとは逆に、自分は何をやってもダメなどうしようもないやつだから失敗したんだ、などと思ったりすれば、自分のことをどんどん嫌いになるだけです。そうすると、失敗から学ぶどころか、自分の苦しみを和らげるだけで精一杯になってしまいます。ですから、自制心を発揮したいと望むなら、自己批判はかえって逆効果です。ストレスと同様に自分を追いつめ、近くのバーでうさ晴らしをしたり、VISAカードで買い物をしまくったりといった気晴らしに自分を走らせてしまうだけです。

## 意志力の実験　失敗した自分を許す

誰でもまちがいを犯したり、失敗したりします。でも、そのあとどう対処するかのほうが、まちがえたり失敗したりしたことよりもはるかに重要です。そこで、失敗したときに自分にもっと思いやりをもって接することができるよう、心理学者が用いるエクササイズを紹介します。研究結果が示しているとおり、自分に対して思いやりをもつことで罪悪感が和らぎ、自分自身に対する責任感が増すのです――これは、意志力のチャレンジで失敗しても、気を取り直してがんばるには望ましいことです。

では、あなたが誘惑に負けた、あるいはやるべきことを先延ばしにしたときのことを具体的に1つ思い出し、そのときの失敗について以下の3つの方法で考えてみてください。失敗したときには、次のような考え方を思い出すことで、罪悪感や恥の意識に苛まれたあげく失敗を繰り返すという負のスパイラルに陥らないようにしましょう。

## ①どんな気持ちがしますか？

その失敗を思い出しながら、どんな気持ちがするか言葉にしてみましょう。胸のなかにどんな思いがありますか？　体はどのように反応していますか？　その失敗の直後、どのように感じたかを思い出せますか？　どんな感じがしたでしょう？　自己批判の気持ちはありますか？　もしあるとすれば、どんな言葉で自分を批判しているでしょうか？　このように落ち着いて考えていけば、逃げたりせずに自分の心のなかを見つめられるようになります。

## ②人間だもの

意志力のチャレンジでは、誰でももがき苦しんだり、理性を失ってしまったりすることがあります。でも、それだって人間ならば当たり前のことで、とくに自分自身に問題があるせいではありません。よく考えればそのとおりだと思いませんか？　あなたが好きな人や尊敬する人で、同じように苦しんだり失敗したりした経験のある人はいないでしょうか？　そんなふうに考えてみれば、自分を批判して自信をなくすようなことが減るかもしれません。

## ③友だちには、どんな言葉をかけますか？

親しい友だちが同じような失敗をしたら、どんな言葉をかけてあげたいか考えてみましょう。どんなことを言って元気づけたいと思いますか？　友だちが失敗にめげずに目標に向かって進んでいけるように、あなたならどうやって励ましますか？　このように考えれば、気を取り直して、またがんばることができるでしょう。

## 「変わろうと思う」だけで満足してしまう

これまで、落ち込んでいるときは誘惑に負けやすいことを示す例をいろいろと見てきました。ストレスによって欲求が生じると、私たちの脳はいつにも増して誘惑に駆られやすくなります。いつか自分は死ぬということを考えたときには、気休めに何かを食べたり、買い物をしたり、タバコを吸いたくなったりします。罪悪感を抱いたり自己批判をしたりすれば、たちまち心のなかでつぶやきます。「もういいや、こうなったらもっと楽しんじゃえ」

ところが、同じように落ち込んだときでも、私たちはときにまったくちがう態度に出ることがあります。罪悪感や不安やストレスで押しつぶされそうになっても、たちどころに気分を晴れやかにするための手段、それは、「自分は変わるんだ」と決心することです。

トロント大学の心理学者ジャネット・ポリヴィとC・ピーター・ハーマンは、どうにでもなれ効果を初めて明らかにした研究者です。彼らは、私たちが変わろうと決心するのは、落ち込んでいるときが最も多いということを発見しました。たとえば、ドカ食いしたのを後悔したり、クレジットカードの請求書に目をむいたり、二日酔いで目が覚めたり、健康状態に不安を覚えたりしたときです。

変わろうと決心すれば、私たちはたちまちほっとした気分になり、自制心を取り戻すことができます。あんな失敗をしたのは自分だなんて思うのはよそう、これまでとはまったくちがう自分になるんだから、というわけです。

変わろうと誓いを立てた私たちは、希望に満たされます。新しい自分になったら人生がどんなに変わるだろう、と期待に胸をふくらませ、そんな自分の姿をあれこれと想像します。研究によれば、ダイエットを始めようと決心しただけで元気が出たり、エクササイズの計画を立てただけで気分が高揚したりするほどです（そんな想像が現実的だとは誰も思っていないのですが）。

自分に対する周囲の態度もきっと変わるだろう、とわくわくします。これですべてが変わる。目標が大きければ大きいほど、期待も大きくなります。そのため、変わろうと決心するときには、やたらと大きな目標を掲げたくなります。壮大な目標を掲げれば気分はさらによくなるのに、なぜちっぽけな目標を立てる必要があるでしょうか？　大きな夢を抱けるときに、わざわざつまらない目標を立てることはありません。

しかし、残念ながらそのような変化を期待しても――報酬への期待や息抜き作戦と同じで――思ったような成果は得られません。非現実的なほど楽観的になるおかげで、気分はいっときよくなりますが、しばらくすればよけいに落ち込んでしまいます。

変わろうという決心は、目先の欲求を満足させるには効果的です――まだ何ひとつなしとげていなくても、いい気分になれるのですから。しかし、実際に変化を起こすための努力を始めたら、こんなはずじゃなかったのに、と思い知るかもしれません。なぜなら、最初のうちは、期待していたほど著しい変化は現れないからです（2キロやせたけど、まだまだ先が思いやられるな！）。

それで挫折しそうになると、変わろうと決心したときに感じた興奮はすっかり消え失せ、失望と不満でいっぱいになります。期待どおりにいかなかったことで、またもや罪悪感や憂うつに苛まれて自信を失くしてしまい、変わるんだと誓ったときの高揚感はすっかり消え去ってしまいます。この時点で、多くの人は努力をやめてしまうのです。けれどもふたたび途方に暮れ、わらにもすがりたい気持ちになると、また誓おうとする――同じことの繰り返しです。

## 「いつわりの希望シンドローム」が起こす快楽

ポリヴィとハーマンはこの繰り返しを「いつわりの希望シンドローム」と名づけました。これは「自分を変える戦略」としてはうまくいきません。これは「気晴らしのための戦略」であって、このふたつは同じものではないからです。とにかくつかのまでも希望を感じたいというなら悪い手ではないかもしれませんが。

変化をもたらす過程で最もラクで気分もいいのは、変わろうと決心するときです。そのあとは苦しいことが続きます。自制心を発揮して、やりたいことを我慢し、やりたくないことをやらねばなりません。実際に自分を変える努力をしているときの気持ちは、うれしさを感じるかという点からすれば、自分は変わるんだと想像するときのわくわく感とは比べものになりません。

そうなると、変わるんだという期待感だけは思う存分味わって、そのあとの大変なことから逃げてしまえば、ずっとラクだし楽しいのです。

ですから、多くの人は自分を変えるための目標に向かってねばり強く努力を続けるよりも、「かんたんに目標をあきらめてはまた決心する」ということを繰り返してしまいます。あざやかに変身した自分の姿を想像すれば最高の気分に酔えるので、なかなかやめられないのです。

自分を変えるために必要なモチベーションは、かえって目標を妨げるような非現実的な楽観主義とは異なるものです。私たちは、自分はきっと変われると信じていなければなりません。そういう希望をもたなければ、ただ現状に甘んじるしかないからです。けれども、自分の行動を変えるためではなく、とにかく落ち込んだ気分を明るくしたいがために、変わるんだという期待をいたずらにいだくような、そんなありがちなワナにはまることは避けなければなりません。

さもないと、私たちは意志力をふりしぼっているつもりが、こんどこそ報酬が手に入ると信じてレバーを押し続けるラットのごとき存在になってしまうでしょう。

## マイクロスコープ　「決心するだけ」を楽しんでいませんか？

自分を変えることに対するあなた自身のモチベーションや期待について考えてみましょう。変わりたいと思うのは、気分が落ち込んでいるときだけでしょうか？　目標を設定するときにいちばん楽しいのは、うまくいったら人生がどんなに変わるだろうかと想像することでしょうか？　自分の行動を変えるための具体的な努力をするよりも、みごとに変わった自分の姿を想像していい気分にひたっていませんか？

## 意志力の実験　決意を持続させるためのシミュレーション

楽観的になるとやる気が出ますが、ほんの少し悲観的になれば成功に役立ちます。研究によれば、自分がいつどんなふうに誘惑に負け、誓いを破ってしまうかを予想することによって、決意を持続できる確率が高くなります。

あなたの意志力のチャレンジについて考えてみてください。自分が最も誘惑に負けやすいのはどんなときでしょうか？　目標のことを忘れそうになってしまうのはどんなときでしょうか？　やるべきことを先延ばしにするとき、自分に向かってどんな言い訳をしているでしょうか？　答えが頭に浮かんできたら、こんどは実際に自分がそんな状況に陥ったところを想像してみましょう。何を感じ、どんなことを思うでしょうか？　失敗するまでの様子をまざまざと思い描きます。

そうしたら、こんどはその想像上の失敗を成功に変えましょう。自分の決意を守るためにはどんな行動を取ればよいか、具体的に考えます。モチベーションを思い出すのもよいでしょう。友だちに手を貸してもらったり、これまでに学んだ方法を試してみたりするのもいいかもしれません。もし試したい方法があれば、実際にやったところを想像してみましょう。どんな感じがするか、頭のなかではっきりと思い描くのです。うまくいった様子を想像しましょう。成功した姿を思い描くことによって、目標を達成するために必要なことを着実にやっていく自信が生まれます。

このように失敗に備えるのは自信がないからではなく、ある意味では自分に対する思いやりです。たとえ意志力の問題で失敗が起きたとしても、準備しておいたことを実行に移せばよいのですから。

## 最後に

ストレスのせいで意志力の問題で失敗するのを避けるために、私たちは自分がほんとうの意味で晴れやかないい気分になれる方法を見つける必要があります。それは、まやかしの報酬を期待することでもなければ、「こんどこそ変わってみせる」という虚しい約束でもありません。私たちはほんとうの意味で晴れやかないい気分になれることを行なうようにし、自分の生活にあまり関係のないようなストレス源からは自分を守らなければなりません。

実際に失敗を経験したときは——それは避けがたいことです——失敗したことを許すのが大事で、なげやりになって誘惑に負けたり、目標をあきらめたりしないことです。ことと自己コントロールに関しては、自分を責めるよりも、自分への思いやりをもつほうがずっとよい戦略です。

## 第6章のポイント

落ち込んでいると誘惑に負けやすくなる。罪悪感をぬぐい去れば、自信がもてる。

### マイクロスコープ

▶「あなたが怖れていること」は何ですか?
テレビ、ラジオ、インターネットなどで見聞きする情報で、ストレスを感じるものに注意しましょう。

▶つまずいたとき自分に「何」を言っていますか?
意志力の問題で失敗をしたとき、罪悪感をおぼえたり、自己批判をしたりしていませんか?

▶「決心するだけ」を楽しんでいませんか?
自分の行動を変えるために具体的な努力をするより、みごとに変わった自分の姿を想像していい気分にひたっていませんか?

### 意志力の実験

▶根拠のある方法を実行する
こんどストレスがたまったときには、ほんとうに効果のあるストレス解消法を試してみましょう。エクササイズやスポーツをする、礼拝に出席する、読書や音楽を楽しむ、家族や友だちとすごす、マッサージを受ける、外へ出て散歩する、瞑想やヨガを行なう、クリエイティブな趣味の時間をすごす、などがおすすめです。

▶失敗した自分を許す
失敗しても、自分に対して思いやりをもちましょう。そうすれば、罪悪感のあまり失敗を繰り返すことを避けることができます。

▶決意を持続させるためのシミュレーション
自分がいつどんなふうに誘惑に負け、誓いを破ってしまいそうかを予想してみましょう。

# 第7章 将来を売りとばす

## ——手軽な快楽の経済学

世にもめずらしい競争が行なわれました。

19匹のチンパンジーと40名の人間が火花を散らしたのです。それもただの人間ではなく、ハーバード大学とドイツのライプツィヒにあるマックス・プランク研究所の学生です。かたや迎え撃つチンパンジーも、負けず劣らず誉れ高いライプツィヒのウォルフガング・ケーラー霊長類研究センターからやってきました。たしかにハーバードとマックス・プランクを相手に戦うには、そのへんのサーカスのチンパンジーを連れてくるわけにはいかないでしょう。

その競争とは、目の前のおやつを我慢して、あとでもっとたくさんのおやつをもらうこと。魅惑的なおやつの内容は、チンパンジーにはブドウ、人間にはレーズン、ピーナッツ、

M&Mチョコレート、ゴールドフィッシュクラッカー、ポップコーンです。

最初に参加者全員に、好きなものを2つもらうのと6つもらうのではどちらがよいかを選択してもらいます。これはすんなり決まりました――人間もチンパンジーも2つより6つのほうがいいに決まっています。次に、研究者たちはもう少し複雑な選択肢を用意しました。2つのおやつをすぐにもらうのと、2分待ってから6つのおやつをもらうのとではどちらがいいか選ばせたのです。

2007年に発表されたこの研究は、チンパンジーと人間の自制心を比較した最初の研究です。この実験結果によって、人間ならではの性質がわかっただけでなく、忍耐力の進化の根拠が明らかになりました。チンパンジーも人間も、待つ必要がなければ2つより6つもらうほうがいいに決まっていますが、待たなければならない場合には、チンパンジーと人間ではその選択に大きなちがいが表れました。チンパンジーはおやつをよけいにもらおうとして、なんと72パーセントが待ちました。いっぽう、ハーバード大学とマックス・プランク研究所の学生は、19パーセントしか待てなかったのです。

驚異的な忍耐力をみせた動物に人間が惨敗したこの事実を、どう受けとめればよいのでしょうか？　チンパンジーは意外にも自己コントロールの能力に長けているのでしょうか？　それとも、われわれ人類のほうが進化の歴史のどこかで、ピーナッツをもらうためにたったの2分間辛抱する能力を失ってしまったのでしょうか？

もちろん、そうではありません。人間が理性的に行動できるときは、衝動を抑える人間の能力は他の生物とは比較にならないほど優れています。けれども、私たちはそんな優れた脳を使ってさぞかし戦略的な決断をするかと思いきや、むしろ理性のかけらもないような行動に出ることを自分に許可してしまいます。立派な前頭前皮質は自己コントロールよりもはるかにそちらのほうが得意です。前頭前皮質は好ましくない選択や「明日こそちゃんとやるから」などという逃げ口上を正当化してしまいます。いっぽう、まさかチンパンジーたちはこんなふうには考えていなかったでしょう。「とりあえず、ブドウを2つもらっておこうかな。こんどはちゃんと待って6つもらえばいいもんね」

けれども、私たち人間は、何だかんだと言い訳をして、誘惑に打ち勝つのは明日でいいと自分に言い聞かせます。そんなわけで、ばかでかい前頭前皮質をもった私たちのほうが、目先の欲求を満たそうとして何度も何度も誘惑に負けてしまうのです。

こうしたことを経済学や心理学や神経科学で説明をつけようとしても、誘惑や先延ばしの問題の多くは、結局、人間ならではのある問題に行きつきます。

それは、私たちが将来についてどう考えるかということ。

ハーバード大学の心理学者ダニエル・ギルバートは、大胆にも、人類は将来について有意義な考え方のできる唯一の生物であると主張しています。人間のそのような能力はテレフォン霊視占いやスポーツくじをはじめ、世のなかのさまざまなところで生かされているいっぽう、その能力のせいで、現在の私たちはかえって困ることもあります。問題は、私たちが未来を予想できることより、むしろはっきりと予想できないことにあるのです。

## 「すぐに」手に入れないと気がすまない

チンパンジー対人間の競争の結果を、経済学者の目で見るのもひとつの方法でしょう。チンパンジーの脳の大きさは人間の脳の3分の1しかありませんが、チンパンジーは人間よりよほど理性的に行動しました。チンパンジーは自分の希望を明確にし（おやつは2つより6つのほうがいい）、それにしたがって行動しました。最小の犠牲（2分待つ）を払うだけで、最大の利益を手に入れたのです。

いっぽう、人間の選択は理性に反しています。最初は、人間たちもおやつは2つより6つもらうほうがいいと言っていました。なのに、おやつを3倍もらうためには2分待たなければならないと聞いたとたん、なんと8割以上の人が直前に言ったこととは正反対の選択をしました。そうやって、人間はすぐに手に入る一瞬の満足のために、自分たちがほんとうに望んでいるものをみずから放棄してしまったわけです。

経済学者はこれを「遅延による価値割引」と呼んでいます。報酬を得るために長く待たなければならないほど、その報酬の価値は下がるという考えです。ほんの少し遅れるだけで、知覚価値は驚くほど下がってしまいます。たった2分待たなければならないだけで、6粒のチョコレートは2粒のチョコレートよりも価値が下がってしまいました。チョコレート1粒の価値は、手に入る時間が遅くなるぶん下がってしまったのです。

遅延による価値割引という考え方をすれば、大学生たちが6粒のチョコよりもすぐにもらえる2粒のチョコを選んだ理由だけでなく、私たちが将来の幸福を犠牲にしてまで目先の満足を手に入れようとする理由がわかります。遅延による価値割引のせいで、私たちは税金を滞納すれば4月14日にパニックになるか、16日には罰金が科されるとわかっていながら、ついのんびりしてしまいます。また、将来のエネルギー危機など顧みもせずに化石燃料を使ってしまったり、バカ高い利率を考えもせずにクレジットカードを使いまくったりするのもそのせいです。とにかく、欲しいものは「いますぐに」手に入れなければ気がすまず、やりたくないことはすべて明日へ延ばしてしまいます。

## マイクロスコープ　将来の報酬の価値を低く見ていませんか？

意志力のチャレンジにおいて誘惑に負けたり先延ばしにしたりするたびに、あなたは将来のどんな報酬を棒にふっているのでしょうか？　そんなにしてまで手に入れようとする目先の報酬とは何でしょうか？　長期的にはどんな犠牲が生じるでしょう？　将来のことを考えた場合、割に合うといえるでしょうか？

もし、理性的な自分が「いや、こんなのは割に合わない！」と思うのであれば、自分がそのような思いに反した行動を取りそうなときには注意しましょう。将来を犠牲にしようとするとき、あなたは何を考え、どんなふうに感じているでしょうか？

## 「5年後の成果」など脳は望んでいない

自制心を試す最初の実験では、人間たちもおやつは2つより6つもらえるほうがいいと言っていました。それがどうでしょう、テーブルの上におやつを2つ置かれ、「いま欲しいですか、それとも待ちます？」と訊かれると、ハーバードとマックス・プランクの学生の8割はころっと気が変わりました。まさか計算ができないわけじゃありません。彼らはすぐに手に入る報酬への期待に、目がくらんでしまったのです。

行動経済学者は、この問題を「限定合理性」と呼んでいます。つまり、私たちの合理性には限界があるということです。私たちは、頭のなかで考えているときには合理的でいられても、目の前に誘惑が現れると、脳が報酬を求めるモードに切り替わってしまい、報酬を逃すまいとするのです。

有名な行動経済学者のジョージ・エインズリーは、酒や依存症や体重の増加、借金などの問題において自己コントロールが失敗する原因の大半は、このような逆転現象が起きるせいだと主張しています。

ほとんどの人は、心のなかでは誘惑に勝ちたいと願っています。長期的な幸福に結びつく選択をしたいと望んでいます。飲んじゃダメだ、しらふでいなくちゃ。ドーナツより引き締まったヒップよ。新しいステキなおもちゃより家計の安定。けれども、目の前に欲しい物が現れたとたん、短期的な目先の報酬に心を奪われ、欲しくてたまらなくなってしまいます。その行きつく先が「限定意志力」――つまり、肝心なときに意志力が働かなくなるのです。

私たちが目先の快楽にこれほど弱い理由のひとつには、脳の報酬システムが将来の報酬に反応するべく進化しなかったせいもあります。そもそも報酬システムのターゲットは食べ物だったので、人間はいまでもおいしい食べ物や匂いには敏感に反応します。ドーパミンが人間の脳に影響を及ぼし始めたころには、遠くの報酬（60マイルだろうが、60日だろうが）など、日々のサバイバルには関係ありませんでした。大昔の人間に必要だったのは、報酬が手に入りそうなときにさっと飛びつくようにするシステムです。あとは、お腹がすいたら木に登ったり川を渡ったりして木の実を手に入れるなど、近くの報酬を求めるためのモチベーションさえあれば充分でした。

長い年月を経てようやく手に入る大学の学位や、オリンピックメダルや退職金など、なかなか手に入らない満足など、想像もつかなかったことでしょう。せいぜい、明日のために蓄える程度。何十年も先の将来のために蓄えるなんて、ありえませんでした。

## 目に入るから「報酬システム」が作動する

現代の私たちが目先の報酬と将来の報酬を天秤にかけるとき、このふたつの選択肢に対する脳の反応はまったく異なります。目先の報酬は昔ながらの原始的な報酬システムに働きかけ、ドーパミンによって欲求が生まれます。この報酬システムは、将来の報酬にはほとんど反応を示しません。

いっぽう、将来の報酬の価値をエンコードするのは、進化をとげた前頭前皮質です。欲求の充足を遅らせるために、前頭前皮質は報酬への期待を抑える必要があります。それは決して不可能なことではありません――前頭前皮質はそのために存在しているようなものですから。しかしそのためには、ラットが電流の通った網の上を駆けずり回り、人間がスロットマシーンで全財産をすってしまうほどの激しい欲求と戦わなければなりません。つまり、かんたんなことではないのです。

しかし、ありがたいことに、誘惑がつけ入る機会は限られています。前頭前皮質の働きを完全に抑えるには、報酬がすぐに手に入らなければなりません。しかも最大の効果を発揮するには、目の前で実際に報酬を見る必要があります。

あなたと報酬とのあいだに少しでも距離があれば、脳は自己コントロールの状態へと戻っていきます。

ハーバードとマックス・プランクの学生がお菓子を見るなり自制心を失った例を思い出してください。同じ実験の別のやり方として、こんどは学生の目の前にお菓子を置かずに同じ質問をしました。すると、こんどは少し待ってお菓子をよけいにもらうほうを選んだ学生のほうが多くなりました。報酬がすぐに手に入るとしても、目の前で見ることができなければ、報酬システムにとっては抽象的でそれほど魅力がありません。そのおかげで、学生たちは原始的な欲求にとらわれず、冷静な計算によって合理的な選択をすることができました。

これは、目先の欲求に負けたくないと思っている人びとにとっては朗報です。そのように距離を設けることで、自分の欲求にノーと言うのがラクになります。たとえば、ある実験では、キャンディの入った瓶をデスクの上に置かずに引き出しにしまっただけで、社員のキャンディの消費量が3分の1に減ることがわかりました。

デスクの上の瓶に手を伸ばすよりも、引き出しを開けるほうが面倒なわけでもないのに、キャンディを目の前から隠すことで、欲望がつねに刺激されなくなったのです。自分の欲求を刺激する物がある場合は、このように目の前から隠すことで誘惑を断ち切ることができます。

## 意志力の実験 「10分待つ」と何が起こるか？

欲しい物のために10分待つなんて、たいしたことじゃないと思うかもしれませんが、神経科学者らの発見によれば、たったそれだけのことで、報酬に対する脳の受けとめ方は大きく変わることがわかりました。

目先の満足を味わうために10分待たなければならない場合、脳はそれを先の報酬として解釈します。すると、報酬への期待がそれほど起こらないため、目先の快楽に飛びつくのに必要な、強烈な生物学的反応も起きません。たとえば、10分待たなければ食べられないクッキーと、減量という長期的な報酬を比較しても、脳は「すぐに手に入る報酬」と比較したときのようなバランスを欠いた判断はしません。目先の快楽といっても、ほんとうに「すぐに」味わえるものでなければ、脳を乗っ取ってあなたの優先順位を覆すようなことはできないのです。

脳を落ち着かせて賢明な判断をさせるためには、どんな誘惑に対しても必ず10分間は辛抱して待つようにします。もし、10分経ってもまだ欲しければ、手に入れてもよいでしょう。

しかし10分待っているあいだに、誘惑に打ち勝ったあかつきに待っている長期的な報酬を思い描いてください。できれば、誘惑になるものとは物理的に距離を置きましょう（あるいは、見ないようにします）。

もしあなたの意志力のチャレンジが「やる力」を必要とするものだとしても、この10分ルールを利用して、先延ばしにしたい誘惑に打ち勝つことができます。つまり、逆さまにして「10分経ったらやめてもよい」というルールにするのです。がんばって10分続けたら、やめてもよいことにしましょう。けれども、いったんやり始めると、たいていは続けたくなるものです。

## 10分ルールでタバコを減らす

キースは大学1年生のときに初めてタバコを吸って以来、禁煙したいと思いながら20年近く経っていました。こうなると、いまさらやめたってどうなる、という思いが頭をかすめます。長年吸い続けてきたので、体には相当なダメージを受けているにちがいありません。それでも――キースのように20年ものあいだ毎日ひと箱吸い続けたヘビースモーカーでも――禁煙すれば、心臓や肺のダメージは回復するという話も耳にします。

けれども、すぱっと禁煙できる自信はありませんでした。禁煙したいとは思っても、タバコをまったく吸わない自分なんて想像もできません。そこで、彼はまず手始めにタバコの量を減らす決心をしました。

10分ルールは、キースにはぴったりでした。現実的に考えて、たまには吸いたくなるに決まっていると思っていたからです。それでも、絶対に10分は待つというルールのおかげで、タバコを吸いたいという衝動をどうにかやりすごし、心臓疾患やガンのリスクを減らしたいという望みを思い出すことができました。しかし、ときには10分待っても結局吸ってしまったり、最後まで待てずに吸ってしまったりもしました。

けれども、待つことによって、タバコをやめたいという意志はしだいに強くなっていきました。それに、どうしてもタバコを吸いたくなったときには、「いいよ、でも10分後だ」と自分に言い聞かせると、頭ごなしに「ダメ」とはねつけたときに比べて、パニックやストレスがいくらかやわらぐようでした。そのせいで待つのがラクになり、他のことを考えているうちにタバコを吸いたいと思っていたのを忘れてしまったことさえありました。

この練習を何週間か続けたあと、キースはさらに1段階レベルアップしました。10分待っているあいだに、同僚のオフィスやお店など、タバコを吸えない場所へ移動してしまうのです。そうすれば、衝動を抑えるべき時間はさらに延びますし、少なくとも、吸いたくなってもすぐには吸えません。ときには、奥さんに電話して励ましてもらったりもしました。

やがてさらに、彼は10分ルールを更新可能にしました。「最初の10分を我慢できたら、あともう10分我慢して、それでもまだ吸いたいと思ったら吸うことにしたんです」。すると、まもなくタバコの量は2日でひと箱に減りました。もっと重要なのは、キースは禁煙しようと思えばきっとできるという自信をもち始めたことです。やがて、そのために必要な自制心も強くなっていきました。

## 「割引率」が10年後の成功を決める

将来の報酬を割り引いて考えてしまうのは人間の性《さが》だとしても、その割引率は人によって異なります。最高級品は決して値下げしない高級店よろしく、割引率が非常に低い人たちもいます。そういう人たちは、将来大きな報酬を手に入れることをつねに念頭に置き、そのために待つことができます。

いっぽう、割引率が非常に高い人たちもいます。最大90パーセントオフまで値下げしてでもわずかな現金収入をねらう閉店セールのように、目先の快楽を味わわずにはいられません。じつは、この割引率の大きさによって、長期的な健康と成功が決まります。

個人の割引率によって生じる長期的な影響を調査した最初の実験は「マシュマロ・テス

ト」と呼ばれる、古典的な心理学の実験でした。1960年代の後半、スタンフォード大学の心理学者ウォルター・ミシェルは、4歳の子どもたちにマシュマロをすぐに1個もらうか、15分待って2個もらうかを選ばせました。実験の説明をすませると、担当者は子どものまえにマシュマロ1個とベルを置いて部屋を出て行き、子どもをひとりにします。担当者が戻ってくるまで待っていられたら、子どもはマシュマロを2個もらえます。もし待てなければ、ベルを鳴らしてから食べてもよいという決まりです。

4歳児のほとんどは、欲求の充足を遅らせるにはほとんど役に立たない方法を試しました。マシュマロをじーっと見つめ、どんな味がするのかなあ、と想像していたのです。そういう子たちはすぐに降参してしまいました。いっぽう、同じ4歳児でも最後まで待てた子どもたちの多くは、マシュマロを見ないようにしていました。

ジタバタしながら待っている子どもたちの姿を撮影したゆかいなビデオ映像もあります。まさに自己コントロールについて学ぶにはうってつけの教材です。ある女の子は、お菓子が見えなくなるように長い髪で顔を隠してしまいました。また、ある男の子はお菓子に目が釘づけになりながらも、降参のベルを自分の手の届かないところへ置きました。べつの男の子は食べるのはぐっとこらえて、なめるだけにしました——この子は将来、優秀な政治家になれるかもしれません。

4歳児がどのように欲求の充足を遅らせるかについて、研究者たちはこの実験で多くのことを学びましたが、それに加えて、これは子どもの将来を予見する方法としても非常に優れていることがわかりました。4歳児がマシュマロ・テストでどのくらい待てたかということが、その子どもの将来の学業成績や社会的な成功を物語っていたのです。いちばん長く待てた子どもたちは、10年後、人気が高くて成績もよく、ストレスにもうまく対処していました。また、学力検査（SAT）のスコアも高く、前頭前皮質の機能を測定する神経心理学のテストでもよい成績を収めました。

マシュマロを2個もらうために15分待てるかどうかということは、重要なことを示していたわけです。つまり、不愉快なことをいっとき我慢して、長期的な目標を達成することができるかどうかということ。待てた子どもは、すぐに手に入る目の前の報酬からうまく気をそらす方法を知っていたのでしょうか？

この個人差によって——子どものときであれ、大人になってからであれ——人生が大きく左右されます。行動経済学者や心理学者によって、人びとの割引率を算定する複雑な公式が編み出されました。平たく言えば、明日の幸せよりも今日の幸せをどれだけ大事だと思うか、ということです。

将来の報酬に対する割引率が高い人たちほど、自己コントロールに関してさまざまな問題を抱えやすくなります。タバコの吸いすぎや酒の飲みすぎ、薬物使用やギャンブルなどの依存症になるリスクが高くなります。老後のための貯金もほとんどせず、飲酒運転や無防備な性交渉をする確率も高くなります。やるべきことを先延ばしにする傾向も強く、時計をするのさえ嫌がる人もいます——つねに「いま」しか頭になくて、時間などどうでもいいと言わんばかりです。将来よりも現在のほうがはるかに大事なら、欲求の充足を先延ばしにする理由などありません。そのような考え方を避けるためにも、私たちは将来を大事に思う必要があります。

## 意志力の実験　割引率を下げる

個人の割引率は幸いにして物理の不変の法則ではありません。選択についての自分の考え方を変えるだけで、割引率は下げることができます。

仮に、私があなたに90日後に換金可能な100ドルの小切手をプレゼントしたとします。でも、私はすぐに気が変わってケチろうとします。「今日からすぐに使える50ドルの小切手と交換しませんか?」こんな場合、ほとんどの人は交換しないでしょう。けれども、もし最初に50ドルの小切手をもらっていたら、かなり待たないと換金できない100ドルの小切手と交換しないかと言われても、ほとんどの人はやはり交換しないでしょう。つまり、人は最初にもらった報酬を手放そうとしないのです。

その理由のひとつは、人はすでにもっているものを失うのが嫌だからです。50ドルもらえる喜びより、50ドル失う痛手のほうが強烈に感じられます。あとで大きな報酬が手に入るのを期待していたのに、すぐにもらえるとはいえ、それを少額の報酬と取り替えるのは損に思えます。しかし、すぐに報酬を手に入れていた場合（50ドルの小切手を握りしめていいます）、あとでもっと大きな報酬をやるから我慢しろと言われても、やっぱり損に思えてしまいます。

経済学者たちは、人はさまざまな理由をつけて正当化し、最初にもらいたいと思った報酬を手に入れようとすることを発見しました。最初に「この50ドルの小切手をもらっておこう」と思った人は、目先の欲求を充足させたほうがいいと思う理由をさらに付け足そうとします（「このお金があればいろいろと使える」「100ドルの小切手が90日後にちゃんと換金できるかどうかわからないしな」）。

いっぽう、「100ドルの小切手をもらうことにしよう」と最初に決めた人は、欲求の充足を遅らせたほうがいいと思う理由をさらに付け足します（「お金が2倍あれば買い物も2倍できるもの」「90日後だってお金が必要に決まってるし」）。このように、将来の報酬を先に考えれば、将来の報酬に対する割引率は著しく下がります。

何かの誘惑にかられたとき、目先の欲求に従いたくないと思ったら、次のようないっぷう変わった意思決定のしかたを試してみるとよいでしょう。

①長期的な利益に反する行動を取りたくなった場合は、目先の快楽に負けてしまったら、あとで手に入るはずの最高の報酬をあきらめることになるのだと自分に言い聞かせる。
②長期的な報酬が手に入ったところを想像する。自制心を発揮して我慢したおかげで手に入った成果を味わっている、未来の自分の姿を想像する。
③最後に、自分に問いただす。「いっときの快楽のために、大事な目標をあきらめていいの？」

## 「将来の報酬」を自分に意識させる

アミーナはスタンフォード大学の2年生。ヒト生物学の専攻で、医学部への進学を希望しています。そんな彼女は自称フェイスブック中毒。授業中でもついフェイスブックが見たくなり、講義の重要な内容を聞き落としています。

勉強しなければいけないのに、何時間も夢中になってフェイスブックを見ています。だって、フェイスブックにはいつでも何かしらやるべきことがあって――友だちの近況を読んだり、フォトアルバムをながめたり、リンク先をチェックしたり――その誘惑には切りがありません。とはいえ、フェイスブックが止まってくれるはずもないので、アミーナは自分に歯止めをかける方法を見つけようと決心しました。

フェイスブックという目先の快楽に負けないよう、アミーナはそれを自分の最大の目標に対する脅威として位置づけました。思わずフェイスブックに見入ってしまいそうなときには、自分にこう問いかけます。「こんなことやってて、医者になれなくてもいいわけ？」そう思うと、そのままだらだらと時間を無駄にすることはできなくなりました。

それから、アミーナはフォトショップを使って、手術着を着た外科医の写真に自分の顔写真を合成し、それをノートパソコンの壁紙に設定しました。将来の夢が自分にとってどれほど大事かをあらためて思い出したいときや、夢を実現した自分の姿をまざまざと思い描きたいとき、アミーナはいつでもその合成写真を見ることにしたのです。

## 背水の陣で「もうひとりの自分」と戦う

一部の行動経済学者らは、自己コントロールのための最も優れた方法は、基本的には「背水の陣」を敷くことだと考えています。この戦略を初めに提唱したひとりに、行動経済学者のトーマス・シェリングがいます。彼は2005年、核保有国間の紛争処理に関する冷戦理論によってノーベル経済学賞を受賞しました。

シェリングは、目標を達成するためには選択肢を絞り込む必要があると考え、それを「プリコミットメント」と呼びました。シェリングは、このプリコミットメントという考えを、核抑止力について書いた自分の論文から借用しました。背水の陣を敷く国は――たとえば、ただちに苛烈な報復措置に出る方針を明確に打ち出すような国は――報復に二の足を踏むような国に比べ、「たしかにあの国ならやりかねない」という脅威を与えることができます。

シェリングは、「理性的な自己」と「誘惑にかられた自己」は、相反する欲求のもとに戦闘状態にあると考えました。「理性的な自己」があなたの取るべき行動をせっかく決めておいても、「誘惑にかられた自己」が土壇場になって思わぬ行動に出ることがあります。「誘惑にかられた自己」が望ましくない欲求のままに好き勝手なことをしたら、身を滅ぼすことになってしまいます。

そう考えると、「誘惑にかられた自己」というのは、得体の知れない、油断ならない敵です。行動経済学者のジョージ・エインズリーに言わせれば、「まったく別の人間だと思って、相手の動きを予測し、封じ込めるべく手を打たなければならない」のです。そのためには、こちらも抜けめなく、大胆に、知恵をしぼって行動する必要があります。「誘惑にかられた自己」をよく観察して弱点をつかみ、理性に従わせる方法を見出さなければなりません。

著名な作家ジョナサン・フランゼンは、執筆活動を滞りなく行なうための独自の背水の陣作戦を公表しています。多くの作家や会社員と同様、彼もパソコンに向かっているとゲームやインターネットに気が散ってしまうのが悩みの種です。フランゼンは「タイム」誌のレポーターに、「誘惑にかられた自己」が怠けたりできないように、自分のノートパソコンを分解したエピソードを語りました。

まず、不要なプログラムはハードドライブからすべて削除しました（あらゆる作家の宿敵、「ソリティア」もです）。そして、パソコンに入っていたワイヤレスカードを取り外し、イーサネットのポートを壊してしまいました。「インターネットのLANケーブルを挿しこんだら接着剤で固定して根元からちょん切っちゃうんだ」

気が散って困るからといって、さすがにパソコンを壊すまではしたくないかもしれませんが、テクノロジーは使いようによっては自分で決めたとおりの行動をするために役立てることもできます。

たとえば、「フリーダム」（macfreedom.com）というプログラムを使えば、あらかじめ設定した時間内はパソコンがインターネットに接続できなくなります。また、「アンチソーシャル」（anti-social.cc）というプログラムを使えば、ソーシャルネットワークやEメールに接続できなくなります。私がいいと思うのは、「プロクラスドーネイト」（procrasdonate.com）で、このプログラムを使うと、よけいなウェブサイトを見ていた時間が1時間を超すたびに課金され、その分の金額が自動的に寄付されるのです。

もし、誘惑がもっと目に見えるような物ならば――たとえばチョコレートとかタバコとか――こんな商品もあります。「キャプチャード・ディシプリン」という鋼鉄製の頑丈な金庫で、2分から99時間まで、任意の時間を設定して施錠することができます。たとえば、〈ガールスカウト〉クッキーを買いたいけれど、いっぺんにひと箱食べてしまいそうでこわいと思ったら、金庫に入れてしまいます。あるいは、クレジットカードの使用を一定の期間控えたいときも、金庫に入れてしまえばいいのです。「誘惑にかられた自己」がどんなにがんばっても、ダイナマイトでもなければ金庫をこじ開けることはできません。

また、自分で決めたことを継続して行ないたいときには、目標のためにお金を投資するのもよいでしょう。たとえば、何が何でもエクササイズを続けたいなら、高額なジムの年会費を前払いしてサボれないようにします。シェリングが言うように、この戦略は、核兵器保有量の増大のために投資する国家の思惑に似ています。たとえ誘惑にかられても、「理性的な自己」の真剣さをよく知っているので、目標を妨げるようなマネをしようと思っても、慎重にならざるを得ないというわけです。

## 意志力の実験　逃げ道をなくす

さて、あなたも誘惑にかられておかしなマネをしないよう、先に手を打っておきたくなりましたか？　今週は意識的にそれを行なってみましょう。あなたの意志力のチャレンジにおいて、次の戦略のどれかを試してみてください。

### ①決めたことを実行するために手を打っておく

誘惑にかられて判断が狂うまえに、よく考えて手を打っておきましょう。たとえば、腹ペコになってファーストフードのメニューによだれを垂らしたりしないように、ヘルシーなお弁当を家から持っていきます。ジムのトレーニングに行くなら前払いをしてしまう、歯医者に行くならさっさと予約してしまうなど、できることはたくさんあります。あなたの意志力のチャレンジでは、たとえ誘惑にかられても、理性的なときに決めておいたはずの行動を取れるように、事前にどのような手を打つことができるでしょうか？

### ②望んでいることと逆のことをやりにくい状況をつくる

誘惑に負けそうなときに自分が最もやってしまいそうなことをやりにくくする方法を見つけましょう。たとえば、自宅やオフィスには誘惑のもとを置かないようにする。買い物に行くときはクレジットカードを持ち歩かず、予算を決めて現金を持っていく。目覚まし時計は部屋の隅に置き、アラームが鳴ったらベッドから出ないと消せないようにする。このような対策を行なっても絶対に決心を曲げないとは言い切れませんが、少なくとも、決心を曲げるのが面倒にはなるはずです。たとえ誘惑にかられても、そのとおりに行動するのを遅らせたり妨げたりするために、どんな工夫ができるでしょうか？

### ③自分にモチベーションを与える

「長期的な健康や幸せに向かって歩んでいくために、アメとムチを利用するのは恥ずかしいことでも何でもない」そう語っているのはイェール大学の経済学者イアン・エアーズです。彼が立ち上げた革新的なウェブサイト stickk.com は、決心を貫くのに役立ちます。このサイトの特色は〝ムチ〟で、誘惑に負けて目先の快楽を味わったら、痛い思いをするようになっています。

減量が成功するかどうか賭けたり（エアーズ自身、これは大成功しました）、決めた目標を達成できなかった場合はチャリティーにお金を寄付したりすることによって、目先の報酬に〝税金〟をかけるわけです（エアーズのおすすめは〝不本意なチャリティー〟――すなわち、自分が支持したくない組織に寄付をすること。失敗の痛手をより大きくするのがねらいです）。そうすると、報酬の価値じたいは変わらなくても痛手が大きくなるので、目先の快楽がたいして魅力的に思えなくなります。

## 「あなた２・０」に会う

あなたと気が合いそうな人をふたり紹介しましょう。まずひとりは「あなた」です。「あなた」はどうも物事を先延ばしにしがちで、衝動を抑えるのが苦手。エクササイズも好きではないし、書類仕事を片づけるのも洗濯をするのも面倒がっています。もうひとりも、じつは「あなた」なのですが、こちらは便宜上「あなた２・０」と呼ぶことにします。「あなた２・０」は、物事を先延ばしにするなんて考えられません。「あなた２・０」はどんなに退屈な仕事や難しい仕事でも、あふれんばかりのエネルギーでさっさと片付けてしまいます。しかも、「あなた２・０」の自制心は驚くほど強く、ポテトチップスもテレビショッピングもきっぱりと退け、キケンな誘惑にかられても欲望に身を焦がしたり打ち震えたりせず、これもみごとに退けます。

「あなた」と「あなた２・０」とは、いったい誰なのでしょうか？

この章を読んでいる「あなた」は寝不足のせいか、ちょっぴり疲れ気味でご機嫌ななめの様子。今日じゅうに片づけなければならないことが山ほどあって、うんざりしているようです。「あなた２・０」は未来のあなたです。といっても、この本の最後のページを読み終えたとたんに、魔法のように変身できるわけではありません。未来のあなたとは、つまり、「今日じゅうにクローゼットを片づけたほうがいいかな、それとも明日にしちゃおうかな……」と考えたときにあなたの頭に浮かんでくる、明日のあなたです。

未来のあなたはいまのあなたとはちがって、まじめにエクササイズをやるに決まっています。未来のあなたならファーストフード店のメニューでいちばんヘルシーなものを注文するに決まっているので、いまのあなたは免責同意書にサインしなければ売ってもらえない、動脈が詰まりそうなほどこってりしたハンバーガーを食べたって、まったくかまわないわけです。

未来のあなたはつねに現在のあなたより時間もエネルギーもあって、意志力が強いことになっています。少なくとも、私たちが未来の自分を想像するときはそんな感じです。未来のあなたには不安もなく、現在のあなたより痛みにも耐えることができます——あの大腸内視鏡検査だってへっちゃらです。未来のあなたは現在のあなたよりもマメでやる気もあるので、大変なことはぜんぶ未来のあなたに任せるのが得策というものでしょう。

## つねに「将来の自分」を過大評価している

以上は不可解ながらいかにも人間らしい、ありがちな思いちがいです。私たちは未来の自分のことをまるで別人のようにとらえています。すっかり理想化してしまい、いまの自分の手には負えないことでも、未来の自分ならできるはずだと高をくくります。

そうやって、現在の自分が決めたことで未来の自分に重荷を負わせ、あとでつらい思いをすることもあります。たんに未来の自分のことをわかっていないせいもあるでしょう。未来の自分もいまの自分と同じようなことを考えたり感じたりするだろうとは思っていません。つまり、未来の自分を同じ自分だと思えないのです。

プリンストン大学の心理学者エミリー・プローニンは、このように先のことを的確に予想できないせいで、私たちは未来の自分のことを他人のように考えてしまうことを証明しました。実験で、学生たちは自己コントロールに関する選択を行なうように指示を受けました。一部の学生たちは「今日やろうと思っていること」を、別の学生たちは「あとでやろうと思っていること」を選びなさい、と指示されました。また、その他の学生たちは「他の学生（実験に参加する次の学生）がやるべきだと思うこと」を選ぶように指示されました。

この場合、現在の自分が未来の自分のために何らかの配慮をしてもよさそうなものですが、私たちは現在の自分のことはストレスの多い状況から救おうとするのに、未来の自分に対しては、まるで他人のように重荷を押しつけることがわかりました。

また、ある実験では、学生たちにケチャップと醤油を混ぜたとんでもない液体を飲ませることにしました。科学の発展に寄与するためにどのくらいの量なら飲めるのか、学生たちは自分で決めなければなりません。たくさん飲めればそれだけ研究者の助けになります――まさに「やる力」のチャレンジです。

一部の学生たちは、数分後に飲んでくださいと言われました。いっぽう、別の学生たちは、実際にこれを飲んでもらうのは「次の学期」ですと説明されました。つまり、現在の自分はお役目を免《まぬか》れ、混ぜこぜドリンクを飲み下さなければならないのは未来の自分です。そして、その他の学生たちは、「次にこの実験に参加する人はこのドリンクをどれくらい飲むべきでしょうか」と質問されました。

さあ、あなたならどうしますか？　未来のあなたならどうでしょう？　そして、赤の他人についてはどう考えるでしょうか？

あなたもたいていの人と同じであれば、未来のあなたは現在のあなたよりもさらに科学（と醤油）が大好きなはずです。この胸が悪くなるような液体をすぐに飲むように言われた学生たちは、スプーン2杯なら何とか飲めると回答しました。しかし、未来の自分や次の参加者（＝他人）の飲めると思う量については、約半カップ（＝倍以上）と答えたのです。

また、人助けのためにどれくらい時間を提供できるかと訊かれた場合も、学生たちは同じような反応を示しました。仲間の学生の勉強を見てほしいという依頼に対し、学生たちは「次の学期」なら85分くらいなら提供できると答えました。

これが、本人に対する質問としてではなく、一般的に学生は仲間の勉強をどれくらい見てやるべきだと思うかと訊かれた場合、時間はぐっと延びて120分という回答でした。ところが、「では、今学期中にあなた自身はどれくらい教えられますか？」と訊かれたところ、学生たちの回答はたったの27分でした。

さらに別の実験では学生たちに対し、いま少額のお金をもらうのとあとで多額のお金をもらうのとではどちらがよいかと質問しました。現在の自分の希望について訊かれた場合、学生たちはすぐにもらえるほうを選びました。ところが、未来の自分や他の学生たちについて訊かれた場合は「あとで多額のお金をもらうだろう」と、つまり「欲求の充足を遅らせるだろう」と期待したのです。

未来の自分が立派にふるまうことがほんとうにあてにできるなら、未来の自分に高望みするのもよいでしょう。でも、たいていはその未来が実際に訪れると、理想の自分などどこにも見当たらず、いつもの自分が決断を迫られることになります。いま自己コントロールの問題でさんざん悩んでいるにもかかわらず、なぜか愚かにも、未来の自分も同じことで悩んでいるとは思いません。したがって、未来の自分に期待していたことは、さらにその先の自分へと先送りされます。まるで、現在の情けない自分を救ってくれる神様のような存在が、土壇場になればひょっこり現れてくれるとでも思っているかのようです。このようにやるべきことを先延ばしにするのは、問題をあっさりと片づけてくれる誰かさんが登場するのを期待しているからです。

### マイクロスコープ 「万能の自分」を待っていませんか？

いまより意志力の強い未来の自分が現れて、大きな変化を起こしたり、重要なことをやってくれたりするのを待っていませんか？　もう少しあとになればあれもやれる、これもやれると思って、やるべきことを無茶なほど増やしすぎていませんか？　きっと明日ならやる気になると思って、今日やるべきことを先延ばしにしていませんか？

## 2カ月後の約束なら「より多く」を引き出せる

アリゾナ大学の経済学者アンナ・ブレマンは考えました。人びとが現在よりも将来について考えたときのほうが気前がよくなる傾向を、非営利団体のために利用することはできないだろうか？　つまり、すぐにお金を寄付してもらうのではなく、あとで寄付する約束を取りつけることはできないだろうか、と考えたのです。

ブレマンは、発展途上国の地域における持続可能なプロジェクトを支援する「ディアコニア」というスウェーデンの慈善団体と協力し、募金集めに2通りの方法を試して、比較してみることにしました。

「ギブ・モア・ナウ」というプログラムでは、寄付者の口座から毎月自動的に引き落とされている寄付金の金額を、翌月から増額します。いっぽう、「ギブ・モア・トゥモロー」というプログラムでも、毎月の寄付金が増えることに変わりはありませんが、増額の開始は2カ月後です。この2つを比較したところ、「ギブ・モア・トゥモロー」への参加を依頼された人たちは、「ギブ・モア・ナウ」への参加を依頼された人たちよりも、寄付金の増額が32パーセントも多いという結果が出ました。

自己コントロールに関しては、私たちは将来の自分に過大な期待を抱かないように注意する必要があります。けれども、他の人たちにお金や労力の面で協力を願いたいときには、将来のことに関しては気前がよくなる傾向を利用して、はやばやと協力の約束を取りつけてしまうのも妙案です。

## 「将来の自分とのつながり」を知るテスト

だれだって赤の他人の幸せよりは自分の幸せを願うもの——それが人情でしょう。だとすれば、私たちが将来の自分のためを思うよりも現在の自分の欲求を優先してしまうのも当然かもしれません。現在の自分の楽しみを犠牲にしてまで、他人の将来のために投資したいはずがありません。

ニューヨーク大学の心理学者ハル・エルスナー・ハーシュフィールドは、現代の高齢化社会が直面する最大の課題のひとつに、この「利己心」が潜んでいると考えています。人びとの平均寿命は延びるいっぽう、退職年齢は変わっていません。

ところが、多くの人は寿命が延びた分の経済的な備えができていません。実際、2010年の調査では、アメリカ人の34パーセントは、老後のための貯金をまったくしていませんでした。

ハーシュフィールドの頭に浮かんだのは（当時は彼自身まだ若く、あまり貯金がありませんでした）、人びとが将来のために貯蓄をしないのは、まるで他人のためのような感じがするからではないか、ということでした。

これを確かめるため、彼は「将来の自分とのつながり」という指標を考案しました——将来の自分と現在の自分を同じ自分としてどの程度重ねあわせて認識しているかを測る指標です。

誰もが将来の自分のことを他人のように感じているわけではありません。それどころか、なかには将来の自分は現在の自分と密接につながっていると感じている人もいます。次ページの図は、現在の自分と将来の自分とのつながりを、さまざまなパターンで表現したものです。

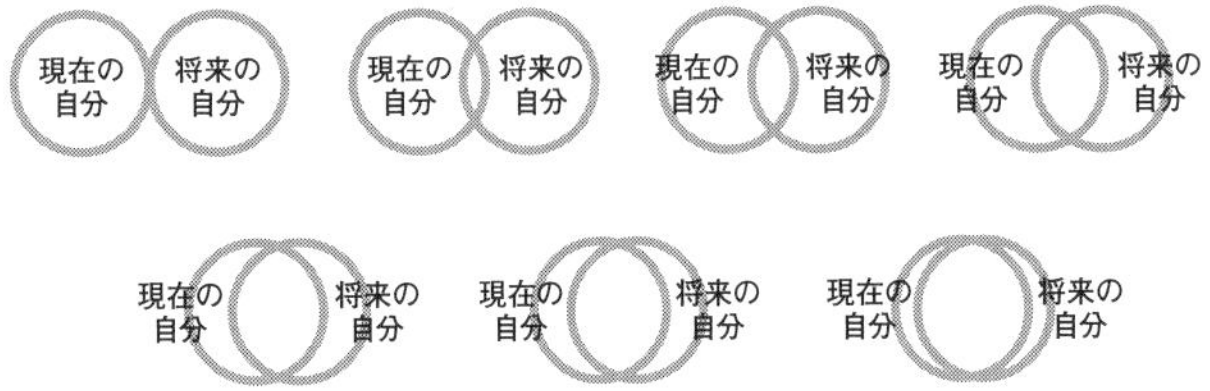


**人は時の流れとともに変化します。
2つの円が描くこれらのパターンのうち、
現在のあなたと20年後の
あなたとのつながりの大きさを
最もよく表しているパターンはどれですか?**

あなたに最もあてはまるのはどのパターンでしょうか。ハーシュフィールドによれば、将来の自分とのつながりが強いほど——つまり、2つの円の重なる部分が大きいほど——貯金が多く、クレジットカードの負債も少なく、将来の自分が安心して暮らせるように、経済的な備えをしっかりしていることがわかりました。

## バーチャル体験で貯金が増える

将来の自分を身近に感じられないせいで、先のことを考えたお金の使い方ができないのであれば、逆に将来の自分を身近に感じれば、もっと貯金をするようになるでしょうか?

ハーシュフィールドはこの可能性を検証

するため、大学生たちに退職後の自分の姿に向き合ってもらうことにしました。コンピューター・アニメーションの専門家の協力のもとに、経年人相画《エイジ・プログレッション》のソフトウェアを用いて、3次元のアバターを製作したのです。これにより、実験に参加した大学生は退職後の自分の姿に出会うことになりました。

ハーシュフィールドのねらいは、若い学生たちに、目の前に現れたのはたしかに歳を取った自分の姿だと感じてもらうことでした。アバターは親戚のだれかでもなければ、ホラー映画のキャラクターでもありません。将来の自分に出会うため、学生たちはリアルなバーチャル空間のなかで、歳を取った自分のアバターに向き合いました。

参加者が鏡のまえに座ると、そこに映し出されるのは将来の自分の姿。女子学生が頭を動かせば、歳を取った彼女も頭を動かします。女子学生が横を向けば、歳を取った彼女も横を向きます。学生が鏡のなかの年老いた自分の姿を見つめているあいだに、実験の担当者が質問をしていきます。「お名前は何ですか?」「出身地はどこですか?」「何か打ち込んでいるものはありますか?」学生が質問に答えると、まるで将来の自分が答えているように見えます。

そんなふうに将来の自分に出会ってひと時をすごしたあと、学生はバーチャルリアリティの研究室を出て、こんどはお金の使い途を決める実験に参加します。各学生は1000ドルの予算を与えられ、現在の生活費や、遊びのお金、当座預金口座へ入れるお金、退職金口座へ入れるお金などに割り振っていきます。

将来の自分に出会った学生は、ふつうの鏡でいまの若い自分の姿を見ただけの学生に比べ、なんと2倍以上ものお金を退職金口座へ割り振りました。将来の自分を身近に感じたことで、将来の自分のために——ひいては自分自身のために——お金を貯めようという意識が強くなったのです。

実験で使われたテクノロジーは、まだ一般的に利用することはできませんが、ひょっとしたらいつか、新入社員が会社の退職金制度に加入するまえには、必ず将来の自分と面接することを人事部が義務づけるような日がやってくるかもしれません。


将来の自分を身近に感じるための方法は他にもあります（次の「意志力の実験」を参照のこと）。将来の自分とのつながりが強くなれば、貯金が増えるだけではありません。どんな意志力のチャレンジにも効果が表れてきます。将来の自分とのつながりが強くなると、「いま」できるかぎりの最高の自分になろうという意欲が湧いてくるのです。

たとえば、将来の自分とのつながりが強い人は、実験にも時間通りに現れましたが、将来の自分とのつながりが弱い人は、実験をサボり、日時を決め直す傾向が強いことにハーシュフィールドは気づきました。

思いがけない結果に衝撃を受けた彼は、さらに将来の自分とのつながりが倫理的な意思決定にどのように影響するかを調べ始めました。彼の最新の研究でビジネス版のロールプレイングゲームを行なったところ、将来の自分とのつながりが弱い人たちは、あまり倫理的な行動を取らない傾向が見られました。オフィスで拾ったお金をネコババしたり、他人のキャリアを台無しにする可能性のある情報を平気で漏洩《ろうえい》したりする確率が高かったのです。さらに、詐欺《さぎ》を働けばお金が儲かるゲームでは、積極的にウソをつきました。

このように将来の自分とのつながりが弱いと、自分の行動があとでどんな結果を招こうがおかまいなし、といった態度になります。それとは逆に、将来の自分とのつながりが強ければ、最悪の衝動に負けないで、自分の身を守ることができるのです。

### 意志力の実験　未来に行って「将来の自分」に会う

未来へ行ってみることで、賢い選択ができるようになります。次の3つは、未来を現実的に感じ、将来の自分を身近に感じるためのアイデアです。いいなと思ったものをひとつ選び、今週試してみてください。

#### ①未来の記憶をつくる

ドイツのハンブルク－エッペンドルフ大学医療センターの神経科学者たちは、「将来について想像すること」は欲求の充足を遅らせるのに役立つことを示しました。それも「将来の報酬」を思い描くのではなく、「ただ将来のことを考えるだけ」で、効果があるのです。

たとえば、プロジェクトをすぐに立ち上げるべきか、それとも延期すべきか、来週は予定通りミーティングに出席しようか、それともスーパーへ買い物に行こうか、そんなことを考えてみてください。頭のなかで将来のことを思い描くと、脳はあなたの現在の選択が将来に及ぼす影響を、具体的に、即座にはじき出します。将来のことをリアルにあざやかに感じるほど、将来の自分が後悔しないような意思決定ができるようになります。

## ②将来の自分にメッセージを送る

ウェブサイト「フューチャー・ミー」(FutureMe.org)の創設者たちは、将来の自分にメールを送れるシステムをつくりました。2003年以来、このサイトでは人びとが将来の自分に向けて書いたメールを保管し、書いた本人が指定した日に送信するというサービスを提供しています。せっかくですからこれを利用して「将来の自分は何をしているだろう」「自分がいまやっていることを将来の自分はどう思うだろう」と考えてみてはいかがでしょうか。

長期的な目標の達成に向けて、いま自分がしようと思っていることを、将来の自分に打ち明けてみましょう。将来の自分にはどのようであってほしいですか？　自分は将来どのようになると思いますか？

あるいは、将来の自分がいまの自分をふり返っているところを想像するのもよいでしょう。いまからどんなことをすれば将来のあなたはいまのあなたに感謝するでしょうか？

心理学者のハル・エルスナー・ハーシュフィールドは、そのような手紙に何を書こうかと考えてみるだけで、将来の自分とのつながりが強くなったように感じると言っています。

## ③将来の自分を想像してみる

数々の研究によれば、将来の自分を想像することで、現在の自分の意志力が強くなります。ある実験では、カウチポテト族に将来の自分の姿を2通り想像してもらいました。ひとつは、定期的にエクササイズを行なって健康で活力にあふれた理想的な自分の姿。もうひとつは、体をほとんど動かさず、健康上の問題で苦しんでいる恐ろしい自分の姿です。どちらの姿にもはっとした彼らはカウチポテトをやめ、2カ月後には、未来の自分の姿を想像しなかった実験グループの人たちよりも、頻繁に運動するようになっていました。

意志力のチャレンジに関して、あなたは望ましい変化をとげ、その成果を味わっている理想的な将来の自分の姿を想像することができますか？　それとも、変化を起こせなかったせいで未来の自分は苦しんでいるでしょうか？　細かいことまでさまざまと思い描いてみてください。将来の自分はどう感じるだろう、どんなふうに見えるだろう、と想像しましょう。過去の自分が選択したことを、将来の自分はどれほど誇らしく思って感謝しているだろうか、あるいは後悔しているだろうか、と想像してみてください。

## 最後に

将来のことを考えるとき、私たちが陥りがちな落とし穴があります。遠い将来の報酬にはあまり現実味がないため、つい目先の欲求を充足させたくなるのです。また、自分がどんなときに誘惑を感じたり、分別をなくしたりするかを予想できず、自分にとって大事な目標の妨げになるようなことを、みずからやってしまいます。

もっと賢い決断をするには、自分の将来のことをよく考え、そのためになることをする必要があります。現在の自分がすることは、将来の自分にそっくりはね返ってくることを忘れないようにしたいものです。努力しておけば、がんばってほんとうによかった、といつの日か思えるにちがいありません。

## 第7章のポイント

将来のことを思い描けずにいると、私たちは誘惑に負けたり物事を先延ばしにしたりしてしまう。

### マイクロスコープ

▶将来の報酬の価値を低く見ていませんか?

意志力のチャレンジにおいて、あなたが誘惑に負けたり先延ばしにしたりするたびに、将来のどんな報酬をふいにしているでしょうか?

▶「万能の自分」を待っていませんか?

いまより意志力の強い自分が現れて、大きな変化を起こしたり重要なことを行なったりしてくれるのを待っていませんか?

### 意志力の実験

▶「10分待つ」と何が起こるか?

どんな誘惑を感じても、必ず10分間は辛抱して待つようにしましょう。その10分のあいだに、誘惑に打ち勝ったらいつか手に入るはずの報酬のことを考えましょう。

▶割引率を下げる

長期的な利益を妨げるようなことをしたくなったときには、そんなことをしたら、いつか手に入るはずの最高の報酬をあきらめることになるのだと自分に言い聞かせましょう。

▶逃げ道をなくす

決めたことを実行するための対策を講じ、自分のほんとうの望みに反することはやりにくくします。あるいは、アメとムチ作戦で将来の自分の行動をうまく導きます。

▶未来に行って「将来の自分」に会う

将来のことをまざまざと思い描いたり、将来の自分に手紙を書いたりしましょう。ただ、将来の自分の姿を想像するだけでもかまいません。

# 第8章

# 感染した！

## ──意志力はうつる

18歳で高校を卒業したばかりのジョンは、コロラド州エル・パソ郡の米国空軍士官学校でバスから降り立ちました。荷物はバックパックひとつだけ。士官学校の新入生が所持するのを許されたわずかな品々が入っています。小さな目覚まし時計、冬用の上着、支給された切手と文房具とグラフ計算機。

じつは、他にもこっそり持ってきたものがありますが、それはバックパックには入っていませんでした。目には見えないので、ジョンと同じ飛行中隊に配属された士官候補生たちも気づきません。士官候補生たちはその後1年間にわたり寝食をともにし、机を並べて過ごしました。やがてジョンが持ってきたものは、飛行中隊の仲間のあいだにじわじわと浸透し、彼らの健康や空軍でのキャリアを脅《おびや》かすようになっていました。

ジョンがもたらした災厄とは、いったい何だったのでしょう?

天然痘でも結核でも性病でもありません。それは不健康な生活習慣でした。健康状態が他人にうつるなんて信じがたい話ですが、２０１０年の全米経済研究所の報告によれば、米国空軍士官学校の士官候補生たちは、まるで感染症が広まるような勢いで健康状態が悪くなってしまったのです。そこで、３４８７名の士官候補生を対象に、高校時代の体力テストから士官学校の定期体力テストまで、合計4年間の記録がチェックされました。

すると、飛行中隊で最も不健康な士官候補生に引きずられるようにして、他の士官候補生たちの健康状態が悪化していったことがわかりました。つまり、新入生たちはいずれも入学前の健康状態にかかわらず、飛行中隊で最も不健康な生徒の健康状態に近づいていったのです。

この研究は一例にすぎませんが、このようにいっけん自己コントロールの問題に思えることでも、じつは周囲の影響をかなり受けています。私たちは、自分の選択は他人の影響など受けていないと思いがちで、自立した自由な意志をもっていることに誇りを感じています。しかし、心理学やマーケティングや医学の研究が示しているとおり、私たち個人の選択は、他人が考えていることや、欲しがっているもの、やっていること、さらには他人が自分に期待していることなどに、強い影響を受けています。

これから見ていくとおり、こうした社会的な影響によって、私たちはさまざまな問題に巻き込まれます。しかし、逆に社会的な影響が意志力の目標を達成するのに役立つこともあります。意志力の問題における失敗が感染するいっぽうで、自己コントロールが感染することもあるのです。

## 肥満はこうして感染する

疾病《しっぺい》対策予防センターは、新型インフルエンザ（H1N1ウイルス）や初期のエイズ禍《か》発生の追跡などの活動で知られています。しかし、センターの活動はそれにとどまらず、米国のすべての州における肥満率をはじめ、国民全体の健康状態の推移を長期間にわたって調査しています。1990年には、肥満率が15パーセント以上の州は全国にひとつもありませんでした。1999年になると、肥満率が20パーセントから24パーセントの州が18もありましたが、25パーセント以上の州はありませんでした。ところが2009年には、肥満率20パーセントを下回ったのはたったの1州（コロンビア州）と首都ワシントンだけで、25パーセント以上の州が33にものぼりました。

ふたりの科学者、ハーバード大学医学部のニコラス・クリスタキスとカリフォルニア大学サンディエゴ校（UCSD）のジェームズ・フォーラーは、公衆衛生当局の職員やメディアがこの肥満の拡大傾向をさして使い始めた表現に衝撃を受けました――「肥満の感染」と呼んだのです。

インフルエンザなどの感染症が大発生するように、肥満が人から人へうつることなどあるのだろうか、とふたりは考えました。これを確かめるため、彼らは「フラミンガム心臓研究」のデータへのアクセス権を取得しました。この研究は、マサチューセッツ州フラミンガムの住民1万2000人以上を32年間にわたって調査したものです。

クリスタキスとフォーラーが長期にわたる参加者らの体重の変化を観察した結果、まさに感染症のような実態が見えてきました。肥満は家族や友人のあいだで感染していたのです。ある人の友人が肥満になった場合、その人が将来肥満になるリスクは171パーセントも増加しました。姉妹が肥満になった女性の場合、本人が肥満になるリスクは67パーセント増加し、兄弟が肥満になった男性の場合、本人が肥満になるリスクは45パーセント増加しました。

さらに、フラミンガムの地域で広まっていたのは肥満だけではありませんでした。飲酒量が増えた人がひとり出ると、その地域では飲みに行く人や二日酔いになる人が激増しました。ところが、いっぽうでは自己コントロールが感染する証拠も見つかりました。ひとりが禁煙すると、その人の友人や家族も禁煙する確率が高くなったのです。

このような感染のパターンは他の地域でも確認されました。しかも、禁煙以外にも薬物の使用や睡眠不足、憂うつなどが同様のパターンで広まっていました。不安になるかもしれませんが、これだけははっきりしています。つまり、悪い習慣も好ましい変化も、ともに人から人へウイルスのように感染するということ。そして、その影響をまったく受けない人はいないということです。

### マイクロスコープ　あなたの「感染源」を発見する

意志力に関する問題はすべて周囲から〝感染〟するとは言えないにしても、多くの場合は社会的な影響を受けています。あなた自身の問題についてはどうでしょうか？　考えてみましょう。

- ・あなたの仲間うちの他の人たちも、あなたと同じ問題を抱えていますか？
- ・あなたの習慣は、友人や家族の習慣がうつったものだと思いますか？
- ・一緒に楽しみにふける仲間がいますか？
- ・仲間うちで、あなたと同じ問題の改善に取り組み始めた人はいますか？

## 「他人の欲求」を自分の欲求のように感じる

これまで見てきたとおり、心のなかにはたったひとりの自己がいるわけではなく、相反するいくつもの自己が、自己コントロールをめぐってせめぎ合っています。目先の欲求に従おうとする自己も存在すれば、もっと大事な目標を忘れない自己も存在します。おまけに現在の自分というのもいて、それが将来の自分と深くつながっているように感じる人もいれば、そうでもない人もいるでしょう。

そのうえ、これでもかといわんばかりに、あなたの頭のなかにはまだ何人かの人が住んでいます。とはいえ、多重人格障害のことではありません——両親、配偶者、子ども、友人、上司など、あなたが日常生活で深く関わっている人たちのことです。

人間は他人と関わって生きていくようにできており、脳はそのためにうってつけの機能を備えています。ミラーニューロンという特殊な細胞があるのですが、これは、他の人たちが考えていることや感じていること、行なっていることを把握《はあく》するためにのみ存在する細胞です。ミラーニューロンが脳に存在するおかげで、私たちは他人のさまざまな行動を理解することができます。

たとえば、あなたは私と一緒にキッチンにいて、私が右手をナイフのほうへ伸ばすのを見たとします。あなたの脳はこの動きをただちにコード化します。すると、あなたの右手の動きや感覚とつながっているミラーニューロンが活性化します。そうして、あなたの脳は私の動作をあなたの体のなかで再現しようとします。まるで、探偵が犯行現場を再現して何がどのように起きたのかを理解しようとするように、ミラーニューロンは他人の動作を再現しようとするのです。
それによって、あなたは私がなぜナイフを手に取ろうとしているのか、次に何が起ころうとしているのかを予測しようとします。私はあなたを襲おうとしているのでしょうか？　それとも、私がねらっている犠牲者はカウンターの上のキャロットケーキなのでしょうか？

では、ナイフを持ったとき、私がうっかり親指を切ってしまったとしましょう。痛い！　すると、それを見ていたあなたの脳では、痛みをつかさどる領域に存在するミラーニューロンが反応します。あなたの体はビクッとたじろぎ、すぐさま私の感情を察知します。あなたの脳は私の痛みをあまりにもリアルに認識するため、あなたの脊髄の神経は、右手から送られてくるはずの痛みの信号を抑えようとさえします——まるであなたが実際に手を切ってしまったかのように！　この共感する本能の働きによって、私たちは他人の気持ちを理解したり、反応したりすることができます。

私は親指にバンドエイドを巻き、ケーキをひと切れ自分のお皿に載せました。すると、こんどはあなたの脳の報酬システムに存在するミラーニューロンが活性化します。あなた自身はキャロットケーキなど好きではないとしても、それが私の好物だと知っていれば、あなたの脳も報酬を期待し始めます。ミラーニューロンが他人の心のなかに報酬を期待する気持ちを読み取ると、自分にもごほうびが欲しくなってしまうのです。

## 脳は「目にした失敗」をまねたがる

以上は単純なたとえ話ですが、いまの筋書きには私たちの社会脳が意志力の問題における失敗をまねる3つのパターンが示されていました。1つは、無意識にまねをすること。他人の動きを察知するミラーニューロンは、人と同じ動きをあなたの体で起こそうとします。私がナイフに手を伸ばすのを見たあなたは、無意識のうちに取ってあげようとするかもしれません。

さまざまな状況において、私たちは他の人のしぐさや行動をいつのまにかまねしているのに気づくことがあります。たとえば、会話をしている人たちのボディランゲージを見ていれば、そのうちお互いのしぐさをまねし始めるのがわかるでしょう。男性が腕を組めば、やがて相手の女性も腕を組みます。女性が背もたれに寄りかかれば、まもなく男性も寄りかかります。そうやって無意識にお互いのしぐさをまねることによって、相手のことが理解しやすくなり、つながっている感じや親近感が湧くらしいのです。

このように他人の行動を本能的にまねしてしまうということは、誰かがスナック菓子やお酒やクレジットカードに手を伸ばすのを見たら、いつのまにか自分もまねしてしまい、意志力を失ってしまうかもしれないということです。

最近のある研究では、映画の登場人物がタバコを吸うのを見たときに、喫煙者の脳でどんな反応が起きるかを調査しました。すると、まるで自分もタバコを1本取り出して火をつけようとしているかのように、脳のなかで手の動きをつかさどる領域が活発になりました。つまり、スクリーンのなかで誰かがタバコを吸うのを見ただけで、タバコを吸いたいという無意識の衝動が生まれ、喫煙者の脳にはその衝動を抑えるという負担が加わったのです。

社会脳が私たちの判断を誤らせる2つめのパターンは、感情に感染すること。

先ほどの例ではミラーニューロンが他人の痛みに反応しましたが、ミラーニューロンは感情にも反応します。同僚に機嫌の悪い人がいると、周りまで不機嫌になってしまうのはそのせいです。それで、あーあ、飲みにでも行くか！　となるわけです。テレビのホームコメディで、笑い声の効果音を使うのもそのためです。爆笑を聞かせて、視聴者を笑わせようとしています。感情がいつのまにか感染することを理解すれば、ソーシャルネットワークの研究者、クリスタキスとフォーラーが、幸福感や孤独感が友人や家族のあいだで広まることを発見したのも納得できるでしょう。

では、それがなぜ意志力の挫折につながるのでしょうか？

嫌な気分に感染すると、私たちは気晴らしのためにいつもの作戦に出ようとします。つまり、買い物をしまくったり、チョコバーをかじったりしてしまうかもしれないのです。

3つめは、誰かが誘惑に負けるのを見ると、私たちの脳が誘惑に反応してしまうこと。あなたと同じ意志力のチャレンジに取り組んでいる人が誘惑に負けた姿を見ると、あなたもつられて負けたくなってしまいます。また、他人が欲しがっているものを頭に思い描くと、自分も同じものが欲しくなったり、他人がモリモリ食べているのを見ると、自分も食べたくなったりします。

そんなわけで、みんなと食事をするとひとりのときより食べすぎてしまったり、友だちとショッピングに出かけるとふだんよりも買いすぎたりします。ギャンブラーが他人の大勝ちを見て、賭け金をうんとつり上げたりするのも、そういうわけです。

## マイクロスコープ　誰の「まね」をしていますか？

今週は、自分が誰かの行動をまねしているかどうか注意してみましょう。とくに、あなたの意志力の問題にかかわることに注目します。仲間とつるんで楽しみにふけることが、お互いを結びつけ、仲間関係を持続させる理由になっていませんか？　同じことをするにしても、他の人たちと一緒だとついやりすぎてしまったりしませんか？

## 「目標感染」が起こる条件とは？

人は自然と相手の心を読んでいます。他の人たちが何かしているのを見ると、何をしているんだろう、と社会脳が推測します。

あの女のひとは何で相手の男性に怒鳴っているんだろう？　あのウェイター、もしかして私に気があるのかしら？　そうやってあれこれと想像をめぐらすことで、私たちは他人の行動を予測し、人付き合いでの失敗を避けようとします。それも、自分自身や周りの人を社会的な脅威から守るためです（怒鳴っている女性と怒鳴られている男性と、どっちが危ないんだろう？　困っているのはどっち？）。また、微妙な状況でも、私たちはその場に最もふさわしい態度を示さなければなりません（思わせぶりなウェイターは、化粧室であなたとふたりきりになりたいわけじゃなくて、ただチップをはずんでほしいだけなのかも）。

しかし、このように無意識に相手の心を読むことによって、自己コントロールに副作用が生じます。

つまり、いつのまにか自分も相手と同じ目標を抱いてしまうのです。心理学者はこれを「目標感染」と呼んでいます。研究でも明らかになっているとおり、誰かの目標に感染したせいで自分の行動が変わるのは、非常にありがちなことです。

ある実験では、春休みのあいだずっとアルバイトに励んだある学生に関する記事を読ませただけで、学生たちはお金を稼ぎたくなりました。この学生たちは少しでもお金を稼ごうとして、以前よりも熱心かつスピーディに実験の手伝いをするようになりました。

また、バーで女の子を引っかけた男の話を読んだ男子学生たちは、自分たちも同じように行きずりのセックスがしたくなり、実験室に顔を出した魅力的な若い女の子にやけに親切に対応しました。

別の実験では、マリファナをやる友人のことを考えた大学生が自分もハイになりたくなった、あるいは逆に、タバコを吸わない友人のことを考えた学生はタバコへの興味が減った、という結果も出ています。


さて、こうしたことはあなたの自己コントロールにどのような影響を与えるでしょうか？　うれしいことに、目標が感染するのは自分もある程度は経験のあることだけです。インフルエンザのウイルスに感染するのとはちがって、まったく経験のないことに少し触れたくらいでは感染しません。タバコを吸わない人は、友だちがタバコを1本取り出すのを見てもニコチンが欲しくなったりはしません。ただし、他人の行動を目にしたせいで、それまでは欲求を感じても行動には至らなかったことを、急にしたくなることがあります。

これまで見てきたように、意志力に関する問題をめぐっては、つねに相反するふたつの欲求がせめぎ合っています。いまを楽しみたいのはやまやまだけど、将来の健康も大事。上司に怒りをぶちまけたいけど、クビになるのは困る。ぱーっとお金を使っちゃいたいけれど、借金も減らしたい。そんな葛藤に苦しんでいるときに、誰かが目の前で自分がやりたいと思っていることを実際にやっているのを見ると、欲求のせめぎ合いのバランスが崩れてしまうことがあります。

目標感染にはふたつのタイプがあります——自己コントロールが感染する場合もあれば、自分を甘やかそうとする誘惑が感染することもあります。

しかし、私たちは誘惑の感染に対してはとりわけ弱いようです。一緒にランチを食べている相手がデザートを注文すると、目先の楽しみに飛びつこうとする友人の欲求が、あなたの欲求に火をつけ、体重を減らすという目標をくつがえしてしまうかもしれません。クリスマスプレゼントをどっさり買い込んだ人を見かけたとたん、あなたの胸にもクリスマスの朝に子どもたちを大喜びさせてやりたいという熱い思いがこみあげて、節約の目標など頭から吹っ飛んでしまうかもしれないのです。

**意志力の実験**

## 意志力の「免疫システム」を強化する

他人の欲求が必ずしも自分に感染するわけではありません。ときには誰かが誘惑に負けるのを見ることで、逆に自己コントロールが強くなることもあります。あなたが目標(例：体重を減らす)に向かって必死に努力しながらも、相反するような欲求(例：こってりしたシカゴ風ピザを食べたい)を感じている場合、大事な目標を脅かすような行為をしている人を見かけたとたん、あなたの脳は厳戒態勢に入ります。

すなわち、脳は最も重要な目標をあなたに強烈に意識させ、目標を投げ出さないようにするための戦略を編み出します。心理学者が「反作用的コントロール」と呼んでいるものので、あなたの自己コントロールを脅かすものに対する免疫反応だと思えばよいでしょう。

他の人たちの欲求に対する免疫反応を強化するには、一日の始めに数分間、自分自身の目標についてあらためて考えるとともに、どんな誘惑にかられたら目標をおろそかにしてしまいそうかも、念のため考えておきましょう。

自分の目標をあらためて思い起こすことは、他人のもっている菌からあなたの身を守ってくれるワクチンのように、あなたの心構えをいっそう強化し、望ましくない欲求が感染するのを防ぐ助けになります。

## ルール違反の「形跡」が自制心を低下させる

私たちは、いかにもありがちな欲求――スナックを食べたい、買い物がしたい、誰かを誘惑したいなど――よりも、ときにはもっと何気ない欲求に感染することがあります。オランダのフローニンゲン大学の研修者らは、たまたま通りかかった人びとを対象に実験を行なった結果、このことが現実にさまざまな状況において確認されました。

実験の下準備として、マナーの悪い人たちがいたような〝形跡〟をわざと仕込んでおきます。たとえば、「駐輪禁止」とでかでかと書いてある看板のすぐ脇のフェンスに自転車をチェーンでつないだり、「ショッピングカートは店内に返却してください」という表示のあるスーパーの駐車場にカートを置きっぱなしにしたり。

この研究によって、ルール違反も感染することがわかりました。研究者らが仕掛けたワナにまんまと引っかかった人たちは看板のルールを無視しました。他の人がやったことをまねして自転車をフェンスにくくりつけ、ショッピングカートを駐車場に放置したのです。

しかし、影響はそれだけではありませんでした。自転車置き場ではないところに自転車が停めてあるのを見た人が、近道のために フェンスを乗り越え、通り抜け禁止の路地に入っていく姿が目立ちました。また、駐車場にカートがいくつも置きっぱなしになっているのを見た人のなかには、ゴミを投げ捨てていく人が何人もいました。このように、ひとつのルール違反はさまざまな形で感染していきます。ルール違反に感染した人たちは、ルールに従おうとせず、好き勝手なことをしたわけです。

他の人がルールを無視して好き勝手にふるまった形跡を見ると、私たちも衝動に負けやすくなります。つまり、誰かが悪いことをするのを見ると、自制心が低下してしまうのです（テレビのリアリティ番組のファンにとっては残念なニュースでしょう。何しろ高視聴率の3つのカギは、お酒を浴びるように飲んだり、派手にケンカしたり、他人のボーイフレンドを寝取ったりすることですから）。

誰かが税金をごまかしているのを耳にはさんだ人は、ダイエットをサボりたい気分になるかもしれません。制限速度をオーバーして疾走する車に次々と追い抜かれたドライバーは、少しくらいお金を使いすぎたってかまわないような気分になるかもしれません。

さらに重要なのは、実際に誰かがルール違反をしている現場を見なくてもルール違反に感染してしまうことです。病原菌をもっている人が通りすぎたあとも、ドアノブには菌がしばらく残っているように、誰かがルールを破った形跡を見るだけで、自分も感染してしまう恐れがあります。

意志力の実験

## 「鉄の意志をもつ人」のことを考える

自制心の強い人のことを考えると、自分自身の意志力も強くなることが研究によって明らかになっています。あなたのチャレンジに関して、模範となるような意志力の強い人はいますか？　同じ問題に取り組んで成功した人や、ぜひ見習いたいと思うような意志の強い人はいますか（私の講座で意志力の強い模範的な存在としてよく例にあがるのは、卓越したスポーツ選手や宗教指導者、政治家などですが、次に説明するとおり、家族や友人のほうがさらにモチベーションがアップするかもしれません）。

もう少し意志力を強くしたいと思うときは、お手本にしたい人のことを心に思い浮かべましょう。そして、鉄の意志をもつあの人なら、こんなときはどうするだろうと考えてみるのです。

## 「好きな人」から感染する

風邪やインフルエンザの季節には、どんな相手からウイルスがうつるかわかりません――口を手で押さえもせずに咳《せき》をする同僚かもしれないし、レジでクレジットカードを受け取って機械に通し、ウイルスをくっつけて戻してくる店員さんかもしれません。疫学者はこれを「単純性接触感染」と呼んでいます。単純性接触感染では、誰から感染しようと影響力は変わりません。赤の他人からもらった菌でも愛する人からもらった菌でも影響は同じで、いちど接触するだけで感染してしまいます。

ところが、人びとの振る舞いが感染するときは、そのようにはなりません。肥満や喫煙などの社会的流行は、「複雑性感染」のパターンによって広まります。

この場合、肥満や喫煙の"保菌者"と接触するだけでは感染しません。その人とあなたの関係が決め手となります。

フラミンガムの地域でも、人びとの振る舞いは家々の庭やフェンス越しに広まったわけではありません。社会的流行は、地域の区画などおかまいなく、互いに尊敬し合い好意をもっている人たちのネットワークを通じて広まっていきます。

同僚の影響力など、親友の影響力に比べたら足元にも及びません。それどころか、友人の友人のそのまた友人の影響力のほうが、毎日顔を合わせていても好きになれない同僚よりずっと強いのです。

なぜ親しい間柄では振る舞いが感染しやすいのでしょうか？　免疫システムのたとえを使うとすれば、誰かのことを「自分たちとはちがう」と認識した場合にかぎって、私たちの免疫システムは、その人の欲求や振る舞いが自分に感染するのを防ぎます。

体の免疫システムも、自分の細胞を攻撃したりはしません。自分と同じだと認識するものは攻撃しないわけです。しかし、「自分とはちがうもの」だと認識した場合は、脅威とみなします。そして、病気が自分にうつらないようにそのウイルスやバクテリアを隔離したり破壊したりします。

それと同じで、私たちが愛情や尊敬や親しみを抱いている人たちのことを考えるときには、私たちの脳はその人たちのことを「自分とはちがうもの」としてとらえるのではなく、自分と同じものとみなします。このことは、脳スキャナーを使った実験でも実際に確認できます。成人の被験者たちに、まずは自分のことを、次に母親のことを考えてもらいます。すると、自分のことを考えたときも、母親のことを考えたときも、脳の活動した領域はほとんど同じでした。

つまり、私たちが「自分」と思っているものには、自分が大事に思っている人も含まれているということです。私たちの自己意識は、他の人たちとの関係の上に成り立っており、多くの場合、他の人たちのことを考えることによってのみ、自分というものをとらえることができます。私たちの自己意識には、このように他の人たちが含まれているために、その人たちの選択が私たちの選択にも影響を及ぼすのです。

## マイクロスコープ　誰の影響を最も受けていますか？

自分にとって「親しき他人」とは誰だろう、と考えてみましょう。いちばん長く一緒に過ごしている人は誰ですか？　尊敬する人は？　自分といちばん似ていると感じる人は？　誰の意見を最も重要だと感じますか？　誰のことをいちばん信頼し、大事に思っていますか？　いつのまにか、その人たちと同じこと——いいことでも、悪いことでも——をやっていませんか？　あるいは、その人たちのほうが、あなたと同じことをするようになりましたか？

## 「ろくでなしの仲間」にはなりたくない

スタンフォード大学で行なわれた介入教育では、あるやり方で、大学生の問題行動を減らしました。研究者たちは、学生に大量の飲酒を思いとどまらせるようなチラシを2種類用意しました。ひとつは理屈で攻めるタイプで、「ひと晩飲みすぎただけで、抽象的な思考力がその後30日間も衰えます」など、飲酒にまつわる恐ろしいデータを並べ立てたものです（これなどは、微積のテストの心配をしている点取り虫の学生たちには、かなり効果的でしょう）。

もうひとつは、飲酒のイメージを大学生活のつまはじき者——すなわち大学院生——と結びつけるという手です。チラシにはひとり酒を飲んでいる男子大学院生の姿が描かれ、そのわきにこんな文句が載っています。「スタンフォードの院生は酒飲みが多い……その ほとんどはろくでなし。酒を飲むなら慎重に……。こんな野郎とまちがえられたら最悪」

2種類のチラシは別々に2つの新入生寮で配布されました。それから2週間後、寮生たちは無記名のアンケート調査に回答しました。前の週の飲酒量についてたずねる調査です。するとなし院生のチラシがそこらじゅうに貼られた寮の学生は、理屈で攻めるタイプのチラシが貼られた寮の学生に比べ、飲酒量が50パーセントも下回っていました。

学生たちは正直に答えたのでしょうか？　研究者が学生のあとをつけてパーティに潜入したわけではないので、ほんとうのところはわかりません。ひょっとしたら、無記名のアンケート調査でさえ、ろくでなしの院生みたいに思われるのがイヤで少なめに答えたのかもしれません。

しかし、アンケートの回答が真実であれば、この実験は不健康な行動をやめさせるための新しい戦略を示したことになるでしょう。すなわち、「そんなことをするのは、あなたが絶対に仲間になりたくないような人たちの習慣ですよ」と言えばよいのです。

## よいことをするより仲間をまねたい

そうなると、人びとの意志力が強くなることを望むなら、「自制心をもって行動するのはみんなが当たり前にやっていること」だと思わせる必要があるでしょう。これは、心理学者が「ソーシャルプルーフ」と呼ぶものの一例です。つまり、私たちは、仲間がやっていることは自分もやったほうが賢明だと判断します。

しかし、人びとの行動に関する好ましい傾向など、めったに耳にしません。メディアがこぞって報道するのは、私たちがますます怠惰になり、道徳観念が弱まり、不健康になっているという恐ろしい話がほとんどです。

たとえば、40パーセントのアメリカ人は運動をまったくしておらず、積極的な運動を1週間に5回(健康と減量のために推奨されている頻度)行なっている人はたったの11パーセントのみ。推奨どおりフルーツや野菜を一日に5品目食べている成人は14パーセントにすぎない。いっぽう、成人1人当たりの砂糖の年間消費量は約50キロ——絶えず耳に入ってくるのは、そんな情報ばかりです。

このような情報は、私たちを震え上がらせるのが目的のはずです。ところがどっこい、私たちは自分も多数派に属していることを知って、仲間意識に目覚めるだけです。「ああ、よかった。みんな同じなんだ」。ですから、この手の情報を聞けば聞くほど、自分もこのままでいいや、と思ってしまいます。アメリカ国民の86パーセントと同じだと言われたのに、なぜあえて自分だけ変わる必要があるでしょうか？

また、自分は〝普通〟だと思ったせいで、自分自身に対する認識が変わってしまうこともあります。たとえば、国民が全体的に太っていくほど、自分は痩せているように感じます。医学誌「アーカイブズ・オブ・インターナル・メディスン」の2010年の報告によれば、医学的に見て肥満の人びとの37パーセントは「自分は肥満ではない」と思っているだけでなく、肥満になる生涯リスクも「低い」と思っています。

現実逃避としか思えませんが、これは社会の新たな現実を反映しているにすぎません。周りの誰もが太っていれば、たとえ医学的な基準は変わらなくても、どの程度を「肥満」と感じるかという私たちの基準はゆるくなってしまいます。

もし、自分が大半の人とちがって〝意志力が弱い〟人の多さを示すベル型曲線の外側に位置するのがわかった場合、私たちは無意識のうちに、あえて曲線の内側に入ろうとします。ある研究では、他の家庭に比べて電気やガスの使用量が少ないと知らされた世帯では、電気をつけっ放しにしたり、温度自動調節器《サーモスタット》の設定温度を上げたりする傾向が見られました。「よいことをしたい」という思いより、「みんなと同じでいたい」思いのほうが強いかもしれないのです。

ソーシャルプルーフに関しては、他の人たちが実際に行なっていることよりも、他の人たちが行なっていると思っていることのほうが重要だったりします。

たとえば、大学生はカンニングをしている連中は実際以上に多いと思っているようです。ある学生がカンニングをするかしないかは、処罰の重さや、見つかることへの恐怖とはあまり関係なく、他のみんなもカンニングをしていると思っているかどうかで決まります。同級生たちもカンニングをしていると思うと、正直な学生が多いクラスでも、試験中に携帯メールで友だちに答えを教える人が続出します（私も、まさにそんな学生をつかまえたことがあります）。

この現象は教室だけに限ったことではありません。人びとは、実際以上に、納税申告書でごまかしをやる人は多いと思っています。人はみんながやっていることをまねしたくなるので、その結果、税金をごまかす人が増えてしまうのです。

だからといって、私たちはどうしようもない詐欺師《さぎし》だというわけではありません。実際の状況がちゃんとわかれば、自分の行ないを正すものです。正直に納税している人びとに関する正確なデータを与えられれば、正直な納税をする人の数は増えるでしょう。

**マイクロスコープ** 努力するのを「ふつう」にする

自分では変えたいと思っている行動でも、他のみんなもやっていると思うと、ソーシャルプルーフの効果でせっかくの努力が妨げられることがあります。

「みんなだって同じことをしているのだから、自分だけ変えようなんてがんばる必要ないのかも」なんて思ったことはありませんか？　「あの人だって、この人だってやっている し……」と同じようなことをしている知り合いを数えたりしていませんか？

もしそうなら、そんな考え方でいいのかどうか、疑ってみたほうがよいでしょう。いちばんいいのは、あなたができるようになりたいと思っていることを習慣にしている人たちに出会うことです。あなたが見習いたくなるような新しい〝仲間〟を見つけましょう。支援活動グループや教室、地元のクラブ活動、オンラインのコミュニティなどに参加するのもよいでしょうし、あなたの目標に役立つような雑誌を購読するのでもかまいません。同じ目標をめざす仲間に囲まれていれば、努力するのがふつうに思えてくるでしょう。

## 「恥の効果」を利用する

「みごと20キロ痩せて高校の同窓会に顔を出したら……」みんなの驚いた顔を想像すれば、毎朝早起きしてエクササイズする気になるでしょうか？　また、「タバコを吸ったら9歳の息子ががっかりするだろうな」そう思えば、仕事中でもタバコを我慢できますか？

どうすべきか迷っているとき、私たちはつい、人にどう思われるだろうかと考えます。研究によれば、これをうまく利用することによって自己コントロールを強化することができます。禁煙であれ、献血であれ、この目標を達成したらどんなに自分を誇らしく思うだろうと想像する人は、最後までやりとげて成功する確率が高くなります。いっぽう、「人に呆れられるかもしれない」と想像するのも効果的です。ちゃんと避妊もせずにセックスをしたのを誰かに知られたらどんなに恥ずかしいだろうと思うと、コンドームを使う確率が高くなります。

ノースイースタン大学の心理学者デイヴィッド・デステノは、「プライド」や「恥」などの社会的な感情は、長い目で見た損得をふまえた理性的な議論よりも、私たちの選択に対して速やかで直接的な影響を及ぼす、と主張しています。

デステノはこれを「非理性的な自己コントロール」と呼んでいます。私たちは、自己コントロールは一般的に非理性的な衝動に対する冷静な理性の勝利だと考えています。けれども、プライドや恥というのは、論理的な前頭前皮質ではなく、感情をつかさどる脳の領域の働きによるものです。

社会的な感情は、仲間とよい関係を保つために発達したのかもしれません。ちょうど、身の安全を図るには恐怖心が役立ったり、攻撃から身を守るには怒りが役立ったりするのと同じです。周りの人たちに認めてもらえるだろうか、あるいは認めてもらえないだろうかと想像することで、正しいことをしようという気持ちが強くなると言えるでしょう。

いくつかの企業や地域では、不法行為や社会的な破壊行動に対し、通常の処罰を行なうかわりに社会的な恥をかかせるという取り組みを始めました。もし、あなたがマンハッタンのチャイナタウンのスーパーで万引きの現場を見つかったら、盗もうとした品物を手に持った姿を写真に撮られます。その写真は店のレジ近くの壁に貼り出され、「大泥棒」と書かれたうえに、名前や住所まで公表されてしまうのです。

シカゴ警察は買春で捕まった男性らの氏名と写真を公表する方針を決定しました。そのねらいは捕まった人たちを罰することよりも、むしろ買春をたくらんでいる人たちを震え上がらせることでした。

シカゴ市長のリチャード・M・デイリーはこの政策を支持し、記者会見でこう述べました。

「シカゴに足を踏み入れた人は誰であれ、買春をしたら逮捕されます。逮捕されたら、みんなに知れ渡ります。配偶者や子どもたち、友人、近所の人、そして雇用主にもです」

買春経験のあるシカゴの男性を対象に行なった調査によれば、この政策が有効であることがわかります。地元の新聞に写真や名前が載るというのは、買春の抑止力として最大の効果があるようです（インタビューを受けた男性のうち87パーセントが、それを考えると躊躇《ちゅうちょ》してしまうと答えています）。牢屋に入るよりも、免停になるよりも、1000ドル以上の罰金を払うよりも、写真や名前を公表されるのがいちばん堪《こた》えるという結果が出たのでした。

## 落ち込んでいるときは誘惑に負けやすい

とはいえ、恥のもたらす効果を過大評価してもいけないので、このあたりで「どうにでもなれ効果」のことを思い出してみましょう。恥をかくなどの社会的な苦い思いを予想することが自己コントロールにもたらす効果と、実際に恥をかくことで意志力が萎えてしまうことは、一線を画するものです。

気分が落ち込んでいるときは誘惑に負けやすいという例もこれまでいくつも見てきまし

た。罪悪感や恥のせいで落ち込んでいるときはなおさらそうです。恥の意識は、予防策としては役に立ちます。しかし、実際に何かをやらかしてしまった場合には、恥の意識がもたらすのは自己コントロールではなく、むしろどうにでもなれ効果です。

たとえば、ギャンブルで大損をして赤っ恥をかいた人は、失った金が惜しいあまりに借金をしてでも賭けを続け、むきになって負けを取り返そうとします。

また、きまり悪い思いをすることがわかっていても、欲求に負けてしまうこともあります。健康意識の高い人たちに、目の前にチョコレートケーキが置いてあるつもりになってもらいます。そして、万が一それを食べてしまったら、どんなに恥ずかしく感じるかを想像してもらいます。すると、（あくまでも想像上の話ですが）ケーキを食べようとする人はほとんどいませんでした。

ところが、こんどは参加者の目の前のテーブルに〈チーズケーキ・ファクトリー〉の大きなチョコレートケーキが置かれました。フォークとナプキン、おまけに水のボトルまで添えてあります。すると、恥の意識がかえって裏目に出ました。誘惑に打ち勝った人はたったの10パーセントだったのです。

きまり悪い思いをしないように注意していれば、自分から〈チーズケーキ・ファクトリー〉のお店に入っていくことはないかもしれません。でも、誘惑がふいに目の前に現れると、報酬を期待する気持ちにあっけなく負けてしまいます。ドーパミン神経細胞がいったん活性化すると、後ろめたい気持ちはかえって欲望に火をつけ、誘惑に負けやすくなってしまいます。

## プライドが意志力の「保有量」を増やす

いっぽう、プライドは誘惑にさらされても持ちこたえます。〈チーズケーキ・ファクトリー〉のケーキを目の前に置かれても、この誘惑に打ち勝ったらどんなに自分を誇らしく思うだろうと想像した結果、40パーセントの参加者は一口も手をつけませんでした。

プライドが役立った理由としては、ケーキ以外のことに意識を向けられたせいもあるでしょう。それとは対照的に、ただ恥をかかないように用心していた場合は、なぜかケーキを見たとたんにわくわくしてしまいました。

参加者の報告によれば、「とってもいい匂い」とか「おいしそうだなあ」などと思ってすっかり誘惑にかられてしまったそうです。もうひとつは、つまるところ、生物学的な理由です。臨床検査によって、罪悪感を抱いていると心拍数の変動が低下することがわかっています。すなわち、生理学的な意志力の保有量が減ってしまうのです。これに対してプライドは、意志力の保有量を維持するばかりか増やしてくれます。

このようなプライドの効果を得るには、他の人たちが見ているつもりになるか、みごと誘惑に打ち勝ったことをあとでみんなに自慢しよう、と考えることです。

マーケティング研究者らの発見によれば、人はひとりパソコンに向かってインターネットで買い物をするときより、人目のある店で買い物をするときのほうが、エコ製品を買う確率が高いことがわかっています。エコ製品を買うというのは、自分がどんなに公共心が高く思いやりがある人間かを他人にアピールするひとつの方法であり、高い意識をもって買い物をすることで社会的な信用を得たいという思惑があるわけです。

このように自分のステイタスが高められる感じがしなかったら、ほとんどの人は1本の樹を救う機会になど目もくれないでしょう。この研究から、自分の決心を守り抜くためのヒントが見えてきます。すなわち、自分の意志力のチャレンジをみんなに宣言すること。成功を願って応援してくれる人たちが、自分の行動をいつも見守っているのだと思えば、いいことをしようというモチベーションがますます向上するにちがいありません。

## 意志力の実験　「認められたい力」を作動させる

人に認められたい、という人間の基本的な欲求を利用しましょう。意志力のチャレンジに成功したらどんなに自分を誇りに思うだろう、と想像します。

仲間の顔を心に思い描いてください。家族や友人、同僚、先生など、いつも大事なことを言ってくれる人や、あなたの成功を喜んでくれる人のことを。自分でも誇りに思えるような選択を行なったときには、フェイスブックやツイッターで仲間に知らせましょう。でも、テクノロジーが嫌いな人には、直接会って話すほうがいいかもしれませんね。

## 「最後の授業」で言い渡した課題

講座が終わって数カ月後、元受講生からメールが届きました。いままでもらったなかでもとくにうれしかったメールのひとつです。彼女が喜んで報告してくれたのは、私が最後の授業でたまたま思いついたエクササイズが目標を達成するのにたいへん役立ったということでした。

最後の授業のとき、何人かの受講生が不安をもらしました。自分が望んでいた変化を起こし始めたのはいいけれど、講座が終わったあとも最後までやりとげられるかどうか心配だというのです。

クラスではお互いの経験を分かち合えるからこそ——たとえ相手がたまたま隣の席に座った人だとしても——自分も胸をはって報告できるようにがんばろう、と思っていた人がたくさんいました。

とうとう最後の授業となり、数名の受講生からそんな不安の声が聞こえたので、私はみんなに向かって、クラスの中でもまだよく知らない人とメールアドレスを交換するよう提案しました。そして、こう言いました。「自分の目標を達成するために次の週は何をするつもりなのか、お互いに相手に話しましょう」それから、お互いに確認のメールを送ります。「このあいだ話していたとおりに、ちゃんとやれましたか？」

数カ月後に私にメールをくれた受講生が言うには、講座が終わった翌週を何とか乗り切れたのは、自分でやると言ったことをちゃんとやったかどうか相手に報告しなければならない、という義務感のおかげだったそうです。でも、それがやがてほんとうに仲間として支え合う、よい関係になったのでした。

授業以外では何の接点もなかったにもかかわらず、ふたりはしばらくのあいだ、毎週の確認を欠かさずに行ないました。それをやめたときには、変化を起こそうと努力してきたことはすでに生活の一部になっており、もう誰かに報告したり支えてもらったりする必要はなくなっていたのでした。

## 最後に

私たちの脳は、驚くほど他の人たちの目標や、信念や、行動を、自分自身の決定に取り込んでいます。他の人たちと行動を共にしたり、あるいはその人たちのことを考えたりしただけで、その人たちは私たちの心のなかで「もうひとりの自分」と化し、自己コントロールに影響を及ぼします。その逆もしかりで、私たち自身の行動も、無数の人びとの行動に影響を及ぼします。自分の行なった選択が、他の人たちにとってよい刺激となったり、あるいは誘惑になったりするのです。

# 第8章のポイント

自己コントロールはソーシャルプルーフの影響を受ける。そのせいで、他者の意志力にも誘惑にも感染する。

## マイクロスコープ

▶あなたの「感染源」を発見する
仲間うちに、あなたと同じ意志力に関する問題に取り組んでいる人はいますか?

▶誰の「まね」をしていますか?
自分が誰かの行動をまねしているのに気づくよう注意しましょう。

▶誰の影響を最も受けていますか?
あなたにとって「親しき他人」は誰でしょうか?　その人たちと同じことをあなたもやっていますか?　あるいは、その人たちのほうがあなたと同じことをするようになりましたか?

▶努力するのを「ふつう」にする
ソーシャルプルーフのせいにして、自分の意志力のチャレンジなどあえて取り組む必要はないかも、なんて思ったことはありますか?

## 意志力の実験

▶意志力の「免疫システム」を強化する
他の人たちの意志力の失敗に感染しないように、一日の始まりに数分間、自分の目標についてあらためて考える時間をもちましょう。

▶「鉄の意志をもつ人」のことを考える
もう少し意志力を強くしたいと思うときは、お手本にしたい人のことを心に思い浮かべましょう。そして、鉄の意志をもつあの人なら、こんなときはどうするだろう、と考えてみましょう。

▶「認められたい力」を作動させる
意志力のチャレンジをみんなに宣言しましょう。そして、目標を達成したらどんなに自分を誇らしく思うだろうと想像しましょう。

# 第9章 この章は読まないで

## ――「やらない力」の限界

1985年、事件はトリニティ大学の心理学実験室で発生しました。テキサス州サンアントニオにあるこの小さな教養大学で、17名の学生が突然ある考えに取り憑かれ、頭から追い払えなくなってしまったのです。いけないのはわかっていました――考えてはならないことです。でも、それは圧倒的な魔力で襲いかかってきます。必死になって他のことを考えようとしても、あらゆるものを凌駕《りょうが》して意識のなかへ舞い戻ってきます。そう、「シロクマ」のことがどうしても頭から離れなくなってしまったのです。

シロクマなんて、ふだんは学生たちの頭の片隅にもありませんでした。なにしろセックスと試験のことで頭はいっぱい、話題といえばコーラの新商品は期待はずれでがっかり、なんてことばかり。なのに、そんな彼らがシロクマの虜《とりこ》になってしまったのです。それもこれも、こんな指示を受けたばかりに——「これから5分間、シロクマのことを考えないようにしてください」。

これらの学生たちは、ダニエル・ウェグナーの一連の研究に参加した最初の被験者でした。ウェグナーは現在、ハーバード大学の心理学の教授となっています。駆け出しのころ、ウェグナーはロシアの小説家レフ・トルストイについて、たまたまこんな話を読みました。

ある日、幼いトルストイは、シロクマのことを考えなくなるまで部屋の隅に座っていろ、と兄に命じられました。その後しばらくして兄が戻ってみると、なんとトルストイはまだ部屋の隅にじっとしていました——シロクマのことがどうしても頭から離れなくて、呆然としていたのです。これを読んで面食らったウェグナーの頭に、ある疑問が浮かんできました。「われわれはなぜ思考をコントロールできないのか?」

そこで、ウェグナーは幼いトルストイが経験したのとほとんど同じような精神コントロールの実験を行ないます。参加者には、何を考えてもいいけれどシロクマのことだけは考えないように、と指示を出しました。以下は実験に参加したある女性のコメントからの抜粋です。参加者らの苦労がうかがえます。

とにかくシロクマ以外のことを考えなきゃと思って、いろんなことを考えようとしてるんですけど、気がつけばシロクマのことばかり浮かんできちゃって。じゃあ……うーん、この茶色い壁でも見ていようかな。シロクマだけはダメだと思ってるんだけど、どうしても頭にこびりついて離れないんです。

シロクマのことが頭から離れないことくらい、べつにたいしたことではないと思われるでしょうか。けれども、これから見ていくとおり、どんなことであれ、考えてはいけないと思うほどかえって頭から離れなくなります。

このことは、不安や憂うつ、ダイエット、依存症に関する最新の研究でも明らかになっています。頭のなかで考えることや感じることに対しては、「やらない力」はまったく効果を発揮しません。頭のなかの世界へ入っていくためには、自己コントロールを新しい定義でとらえ直す必要がありそうです——コントロールを手放すことをも含む新しい定義によって。

## 好印象をねらうほど不愉快なことを口走る

ウェグナーは他の学生にも参加してもらい、このシロクマ実験を繰り返し行ないました。やがて、みんながシロクマにいい加減うんざりしてしまうと、他のものを使って実験を行ないました。しかし、いずれの場合も、何かについて考えないようにすればするほど逆効果で、考えないようにしようなどと思っていなかったときより、かえってそのことばかり考えてしまいます。しかも、あえてそのことを「考えよう」と意識したときよりも、よけいにそのことを考えてしまうのです。参加者がストレスで参っていたり、疲れていたり、気が散っていたりする場合は、なおさらその傾向が強くなりました。

ウェグナーはこれを「皮肉なリバウンド効果」と呼んでいます。ある考えを頭から追い払おうとすると——バン！——ブーメランのように戻ってくるのです。

この皮肉なリバウンド効果によって、現代のさまざまな問題を解き明かすことができます。たとえば、不眠症の人が眠らなければとあせるほど、ますます目が冴え渡ってしまったり、炭水化物抜きのダイエットをしている人が、ふわふわの白いパンやウーピーパイのことで頭がいっぱいになってしまったり。あるいは、心配性の人が悩みごとを考えないようにしようとすればするほど、最悪のシナリオが浮かんできたりします。

また、ウェグナーの発見によれば、起きているときに憧れの人のことを考えないようにしていると——あえてその人のことを考えて夢想にふけった場合よりも——その人の夢を見る確率が高くなることがわかりました。このことは、まちがいなく〝ロミオとジュリエット効果〟の一因となっているでしょう——よく知られているとおり、禁じられた恋ほど燃えるという心理傾向です。

ウェグナーはその後、思いつくかぎりのあらゆる本能について、それを抑制しようとした場合には皮肉な効果が表れる証拠を見つけました。

就職活動中の学生が面接官によい印象を与えようと力みすぎて鼻につくような発言をしてしまったり、演説をしている人が政治的に正しい表現を使おうと意識するあまり、かえって思いきり差別的な表現が浮かんできたり、秘密をもらすまいと思っている人が思わず口をすべらせてしまったり、ウェイターがトレイをひっくり返さないようにしようと必死になるほどシャツをトマトソースで汚す確率が高まったりするなど、枚挙にいとまがありません。さらにウェグナーは（ちょっと行きすぎかもしれませんが）同性愛嫌悪の男性ほどゲイ・ポルノを見て勃起する確率が最も高いという科学的な発見についても、この皮肉な効果を認めています。

## 思考の「モニター機能」が破滅を導く

考えや感情を頭から消し去ろうとすると、なぜリバウンドが起きるのでしょうか。ウェグナーは、それは「何かを考えてはいけない」という指令を脳が処理するプロセスに関係があるのではないかと考えました。

そのプロセスはふたつに分かれており、それぞれ別々の脳のシステムが担当しています。頭の一部では、考えてはいけないこと以外のことに意識を向けさせようとします。まるでウェグナーの最初の実験に参加した女性がシロクマのことだけは考えないようにしようとがんばっていたように——「とにかくシロクマ以外のことを考えなきゃと思って……うーん、この茶色い壁でも見ていようかな」

ウェグナーはこのプロセスを「オペレーター」と呼んでいます。このオペレーターは脳の自己コントロールのシステムに依存しており、多大な心的資源とエネルギーを必要とします。

いっぽう、頭の他の部分では、自分は考えたくないこと（または感じたくないこと、やりたくないこと）を考えている（または感じている、やっている）という事実を淡々と認識します。例の参加者の女性がいみじくも言っていたとおりです。「気がつけばシロクマのことばかり頭に浮かんできちゃって……シロクマだけはダメだと思ってるんだけど、どうしても頭にこびりついて離れないんです」

ウェグナーはこのプロセスを「モニター」と呼んでいます。オペレーターとはちがって、モニターは自動的に作動し、精神的な努力はそれほど要しません。モニターは、脳が自動的に脅威を探知するシステムに深く関係しています。けれども、何らかの理由でオペレーターが作動しなくなると、モニターは自己コントロールにとんでもない障害をもたらします。

通常、オペレーターとモニターは並行して作動しています。たとえば、あなたはスーパーへ買い物に行くところで、スナック菓子売り場には近寄るまいと決心しているとします。オペレーターがあなたの意識を集中させて予定どおりの行動を取らせようとするいっぽう、モニターはあなたの頭の中や環境をスキャンし、警報を発令します。「危険です！　危険です！　3番通路にクッキー発見！　大好物のクッキー発見！　もう腹が鳴っている！　警戒せよ！　警戒せよ！　クッキーに注意！　**クッキー、クッキー、クッキー！**」

気力がみなぎっている状態ならば、オペレーターはモニターの警報を役立てます。つまり、モニターが誘惑の源や厄介な考えを探知すると、オペレーターが前面に出てきてあなたを目標へと導き、困ったことにならないようにします。けれども、気が散っていたり、疲れていたり、ストレスやお酒、病気、その他精神的な疲労のせいで気力が衰えていると、オペレーターはまともに作動しません。ところがモニターのほうは元気いっぱいで、とにかくひたすら動き続けます。

オペレーターが疲弊しているのにモニターが活発になると、頭のなかのバランスが崩れ始めます。モニターが禁止事項を探知するたびに、頭のなかには禁止事項が入ってきます。ところが、神経科学者の発見によれば、脳はそうした情報を無意識に処理しています。

その結果、自分がまさに避けようとしていることを考えたり、感じたり、やったりしてしまうかもしれないのです。それで、スナック菓子売り場の近くを通りかかると、モニターはクッキーを買ってはいけないことを思い出し、「**クッキー、クッキー、クッキー！**」

という声をあなたの頭に響き渡らせます。ところが、モニターとのバランスをとるだけの充分な力がオペレーターにないと、身の破滅を防ぐはずのモニターが、あなたをいっきに破滅へと導いてしまうのです。

## 頭に浮かぶことは真実だと思い込む

このように、何かを考えないようにすると、かえってそのことが頭から離れなくなります。そして、さらなる問題につながっていきます。ある考えを頭から追い払おうとして、かえってそれが頭から離れなくなると、「きっとほんとうのことだからにちがいない」と思い込む可能性が高くなるのです。真実でなかったら、こんなに何度も意識にのぼってくるはずがない、と。

私たちは自分の考えることには重要な意味があると信じています。ですから、ある考えがしょっちゅう浮かんで頭から離れなくなると、それは注意を払うべき緊急のメッセージにちがいないと思うようになります。人間の脳は、もともとそのような認識のしかたをするようです。つまり、ある考えがどれだけすんなり頭に浮かんでくるかによって、私たちは物事が起こる可能性や信憑性を判断しているのです。

そのため、心配ごとや欲求を頭から追い払おうとすると、ときに困ったことになります。

たとえば、飛行機事故のニュースなどは一度聞いたら忘れないので、私たちは飛行機事故に遭う確率は高いように感じます。実際は、飛行機事故の確率は1400万分の1にすぎませんが、ほとんどの人は「腎炎」や「敗血症」で死ぬ確率よりも高いように感じます――このふたつはアメリカにおける死亡原因のトップ10に入っているのに、すぐに思い浮かぶ病名ではないからでしょう。

恐怖や欲望を打ち消そうとすれば、ますますそれが真実のように感じられ、頭から離れなくなります。あるとき、「皮肉なリバウンド効果」を発見した心理学者のウェグナーのもとへ、女子学生から電話がかかってきました。自殺することばかり考えてしまうと言い、すっかり取り乱しています。あるときふっと自殺という考えが頭をよぎって以来、頭から離れなくなってしまったのです。それはきっと、自分が心の奥底で自殺を望んでいるからにちがいない、と彼女は思い始めました。そうでなければ、そのことばかりが頭に浮かんでくるはずがない、と思ったのです。

思いつめた女子学生はウェグナーに電話して――おそらく心理学者の知り合いは彼だけだったのでしょう――助けを求めました。ところがウェグナーは心理学者ではあっても、心理療法士ではありません。崖から飛び降りようとする人を思いとどまらせたり、人の心の闇を探ったりする訓練は受けていません。

そこでウェグナーはその学生に自分がよく知っていることを話して聞かせました。そう、シロクマの話です。ウェグナーは例の実験の話をして、ある考えを頭から追い払おうとすればするほど、かえってそれが頭にこびりついて離れなくなると説明しました。でも、だからといって、その考えが真実であるとか、重要であるとは限らないのだ、と。

　女子学生は、自殺という考えが浮かんだときに、それを必死で頭から追い払おうとしたせいで、かえってそのことばかり考えるようになったのだとわかって、ほっとしました――自殺のことが頭から離れないからといって、ほんとうに自殺したいわけではなかったのです。

## マイクロスコープ　「皮肉なリバウンド効果」を検証する

　あなたにも、何か考えないようにしていることはありますか？　もしあるなら、「皮肉なリバウンド効果」を検証してみましょう。何かを考えないようにすると、そのとおり考えずにすみますか？　それとも、ある考えを頭から追い払おうとすると、かえって強く意識してしまうでしょうか。

## コントロールしなければコントロールできる

どうしたらこんな悩ましいジレンマから抜け出せるのでしょうか？　この「皮肉なリバウンド効果」に対し、ウェグナーは〝皮肉な〟解毒剤を提案しています。それは、あきらめること。好ましくない考えや感情をコントロールしようとするのをやめれば、そういった考えや感情に振り回されなくなります。

脳の活性化に関する実験において、参加者が頭のなかで考えないようにしていることについて話してもよいと許可されたとたん、それまで頭にしつこくこびりついていた考えが、あまり意識にのぼらなくなることが確認されました。矛盾しているようですが、考えてもよいと思ったことは、あまり考えなくなるわけです。

この方法は、さまざまな望ましくない内的体験に向き合う場合にも役に立つことがわかりました。頭に浮かんでくる考えをムリに抑えつけたりせず、感じるがままに感じようと腹をくくることは――ただし、頭に浮かぶことが真実とは限らず、感じたとおりに行動する必要はないと理解したうえで――不安や憂うつ、異常な食欲、依存症などに対処するのにも効果的な方法です。これから紹介する例を見ていけば、内的体験をコントロールするのをあきらめることによって、自分の行動を以前よりもコントロールできるようになるのがわかるでしょう。

では、悲しいことを考えないようにしていると、かえって憂うつになってしまうのでしょうか？　それが、あり得ない話ではないのです。ネガティブな考えを抑えつけようとすればするほど憂うつになることが、数々の研究でわかっています。

ウェグナーが最初のころに行なった思考を抑圧する実験では、健康な被験者たちにもこの現象が認められました。

被験者への指示は、それまで自分の身に起きた最も悲しいできごとを思い出すか、あるいは逆にそのことについて考えないようにしてください、というものでした。すると、被験者がストレスで疲れていたり、ぼんやりしたりしていた場合、あえて悲しいことを考えようとしたときよりも、悲しいことを考えないようにしたときのほうが、よけいに悲しくなることがわかりました。

別の実験では、自己批判的な考え（「おれはどうせ負け犬だ」「みんなあたしのことなんかバカだと思ってる」）を頭から追い払おうとしたところ、あえてそのような考えに冷静に向き合ったときよりも、自尊心が傷つき、気分が落ち込んでしまうことがわかりました。たとえネガティブな考えを頭からうまく追い払えたかのように思えても、そうはいきません。「皮肉なリバウンド効果」は必ず襲ってくるのです！

また、不安な気持ちを抑えようとするのも逆効果です。たとえば、痛みをともなう治療のことを考えないようにしていると、かえって不安がつのり、ひどく痛いのではないかと恐れるようになります。また、ひと前でスピーチをする際、ムリに平気なふりをしようとすると、かえって不安が増すだけでなく、心拍数が上昇します（つまり、スピーチをしくじる可能性が高くなります）。

私たちがいくら考えごとを頭から追い払おうとしても、体はメッセージを受け取っています。そして、悲しみや自己批判を抑えつけようとすればかえって憂うつになるのと同じように、思考を抑圧すると、心的外傷後ストレス障害（PTSD）や強迫性障害（OCD）などの深刻な不安障害の症状を悪化させてしまうことが、研究によって明らかになっています。精神的な苦しみから自分を救いたければ、そうした苦しみを頭から追い払おうとするのではなく、どうにか折り合いをつけていく必要があります。

## 「考えるな」と言われたことを「実行」してしまう

ロンドン大学セント・ジョージ校の心理学者ジェームズ・アースキンは、ウェグナーのシロクマ実験に興味をかきたてられました。しかし、アースキンはさらにこう考えました。何かを考えないようにすると、よけいにそのことを考えてしまうだけでなく、考えてはいけないと思っている、まさにそのことを「やってしまう」のだと。

アースキンは、ダイエットを破るとか、タバコや酒、ギャンブル、セックス（遺伝子を交えてはいけない誰かさんとの、ということでしょう）に溺れるなど、あらゆる自己破壊的な行動の裏には、「皮肉なリバウンド効果」のプロセスが潜んでいるのではないかと考えています。

思考を抑圧するのは、自己コントロールにとってどれだけ危険なことか。アースキンはまず世界で最も人気の高い嗜好品《しこうひん》、チョコレートを使った実験で、そのことを証明しました。アースキンは参加者の女性らを研究室へ招き、2種類の同じような味のチョコレートの試食テストを行ないました。チョコレートが運ばれてくるまえに、アースキンは一部の女性に対し、チョコレートについて思っていることを何でも自由に口に出してくださいと指示しました。いっぽう、別の女性たちには、チョコレートのことはいっさい考えないでくださいと指示しました（比較のため、その他の女性たちにはとくに何も指示を与えませんでした）。

最初のうち、思考の抑圧には効果があるように見えました。チョコレートのことを考えないようにしていた女性は、他の女性に比べてチョコレートのことを考えた回数が少なかったからです。ある実験では平均してたったの9回でした。いっぽう、チョコレートについて頭に浮かんだことを自由に話すように指示された女性たちは、52回もチョコレートのことを考えていました。ただし、それだけで思考の抑圧がうまくいくと考えるのは早すぎます。ほんとうの試金石は、試食テストです。

実験の担当者は、参加者の各女性のまえに個別包装のチョコレートが20個入ったボウルを2つ置きました。チョコレートに関する調査用紙が配布され、参加者は部屋にひとりきりにされます。質問に回答するために、チョコレートはいくつ食べてもかまいません。やがて、どの実験でも同じような結果が出ました。

試食テストのまえにチョコレートのことを考えないようにしていた女性は、他の女性の2倍近くものチョコレートを食べました。なかでもダイエット中の人のリバウンド効果は最も激しく、誘惑をはねのけようとして思考を抑圧しがちな人びとは、思考の抑圧がもたらす反動に対して最も弱いことがわかりました。

2010年のある調査では、ダイエット中の人は、ダイエットをしていない人よりも、食べ物のことを考えないようにしていることがわかりました。けれども——ウェグナーのシロクマ実験からもわかるとおり——ダイエット中の人が食べ物のことを考えないようにしていると、食べ物に対する自制心が最も弱くなってしまいます。食べ物に対する欲求があまりにも強くなり、思考を抑圧していない人に比べてはるかに大食いしてしまうのです。

## ダイエットは体重を「増やす」行動

アメリカの国民は長いことダイエットに励んでいますが、体重を減らす方法としては、ダイエットはまったく役に立ちません。２００７年の食事制限およびカロリー制限に関する研究結果のまとめでは、ダイエットによる減量効果や健康上のメリットはほとんど認められず、むしろ害になっていると発表されました。

ダイエットをした人のほとんどは、やがてダイエット中に痩せた分の体重が戻ってしまうばかりか、むしろ逆に増えています。実際、ダイエットは体重を落とすよりも「増やす」効果のほうが大きいほどです。ダイエットをした人は、同じ体重でもダイエットをしなかった人に比べ、体重が増える傾向が見られます。

数々の長期にわたる実験の結果、体重の増減を繰り返すようなダイエットは、血圧やコレステロール値の上昇や、免疫システムの低下をもたらすとともに、心臓発作、脳卒中、糖尿病などの原因による死亡のリスクが高まることがわかりました（さらに、覚えていらっしゃるかもしれませんが、ダイエット中は浮気をする確率も高くなります）。

アースキンをはじめとする多くの研究者は、ダイエットに効果がないのは、あることが原因であると突きとめました。それは、みんなが効果的だと信じて行なっていること――

つまり、「太りそうな食べ物を禁じること」です。〝禁断の果実〟からはじまって、何かを禁じれば思いもよらぬ結果を招くものですが、ある食べ物を制限されると、それがますます食べたくなってしまうことが、実験でも明らかになってきました。

たとえば、チョコレートを食べないように指示された女性は、1週間後の試食テストで、そのような指示を受けなかった女性に比べて、チョコレートアイスクリームやクッキーやケーキを2倍も食べてしまいました。まさかチョコチップクッキー入りアイスクリームに含まれるアミノ酸や微量栄養素の必要性に、脳や体がとつぜん目覚めたせいではありません(もし欲求がそのような形で起きるなら、何百万人ものアメリカ人は新鮮なフルーツや野菜を食べたくてたまらなくなっているはずです)。リバウンドは、そのような生理的な反応ではなく、むしろ心理的な反応です。ある食べ物を避けようとすればするほど、逆にその食べ物のことで頭がいっぱいになってしまうわけです。

ダイエットをする人の多くが、思考の抑圧は効果的だと勘ちがいしてしまうのは、食べ物のことを考えないようにすることで――少なくとも最初のうちは――ダイエットがうまくいっているように感じるからだとアースキンは指摘しています。

このように思考の抑圧が効果的だと勘ちがいするのはダイエット中の人に限ったことではなく、私たちは誰でもこの幻想にだまされてしまいます。ある考えを頭から一時的に追い払うことは可能なので、そうした戦略は基本的に正しいのではないかと思ってしまうのです。

それでも結局、思考や行動をうまくコントロールできないとわかると、私たちはそれを抑圧が足りなかったせいだと勘ちがいし、抑圧には効果がないのだとは考えません。そのせいで、ますます厳しく思考を抑圧し、さらにひどいリバウンドを経験することになります。

## マイクロスコープ　自分に何を禁じていますか？

ある食べ物を制限すると、ますますそれが食べたくなることが実験でも明らかになっています。あなたにもそんな経験がありますか？　ある食品群や好きなお菓子を我慢して、体重を減らそうとしたことはありますか？

その場合、どのくらい続いたでしょうか？　そして、どのような結果になったでしょうか？　いまも食べないようにしている食品はありますか？　もしある場合、その食品を食べないようにしているせいで、逆にもっと食べたくはなりませんか？

ダイエットをしていない人でも、何か自分に禁じているものはありますか？　禁じたせいで欲求はなくなりましたか？　それともかえって欲求が強まっていませんか？

## 「思考」を抑えつけず「行動」だけ自制する

考えや欲求を頭からムリに追い払ってはいけないというなら、私たちはいったいどうすればよいのでしょうか？　こうなったら受け入れるしかないのでしょうか？　ある実験で、そのような結論が出ています。

その実験では〈ハーシーズ〉のキスチョコが入った透明な箱を100名の学生に配布し、48時間持ち歩くように指示しました。そのうえ、箱のなかのキスチョコはもちろん、他のチョコレートもいっさい食べてはならないという決まりです。

けれども、実験の担当者も学生たちをただ丸腰で放り出したわけではなく、誘惑に負けないためのアドバイスを与えました。

一部の学生たちには、キスチョコを食べたくなったら、気をまぎらわしなさい、そして、食べたいと思ったことをみずから戒《いまし》めなさいと指示しました。たとえば、「このチョコ、ほんとにおいしそう。ひとつだけ食べちゃおうかな！」と思ったりしたら、「チョコレートは食べてはいけない決まりだし、食べる必要なんかない」と考えろというのです。言わば、多くの人が食べたいものを我慢するときにやっているのと同じことを行なうように指示したことになります。

いっぽう、他の学生たちにはシロクマ実験の話を聞かせ、アドバイスをしました。「皮肉なリバウンド効果」について説明し、チョコレートを食べたい気持ちをムリに打ち消そうとしないように、と言いました。むしろ、チョコが食べたくなったことを素直に認め、チョコについて思ったことや感じたことをすべて受け入れること、ただし、「思ったとおり、感じたとおりに振る舞う必要はない」のだと思い出すよう指示しました。思考はコントロールしなくても、行動はコントロールしなければならないわけです。

48時間の意志力テストが終わってみると、頭に浮かぶ考えをムリにコントロールしなかった学生たちは、チョコレートを食べたいという欲求が起きた回数が最も低かったことがわかりました。おもしろいことに、この受け入れ戦略が最も効果があったのは、ふだんは食べ物に関してとくに自制心が働かない人たちでした。

もういっぽうのグループで、ふだんから食べ物に関する欲求で悩んでいる学生たちが、気をまぎらわそうとしたり、食べたいという気持ちを否定したりした場合は、それこそ悲劇でした。しかし、そんな彼らがムリに思考を抑えつけるのをやめてみると、キスチョコもそれほど欲しくなくなり、食べてはいけないチョコレートを持ち歩かなければならないことも、それほどストレスに感じなくなりました。

そして驚いたことに、思考や感情を受け入れる戦略に従った学生たちは、2日間もおいしそうなチョコのおあずけを食らいながらも、誰ひとりとしてつまみ食いをしなかったのです。

意志力の実験　**欲求を受け入れる――ただし、従わないで**

〈ハーシーズ〉のキスチョコ実験で、シロクマのリバウンド効果を学んだ学生たちは、欲求を感じてもうまく切り抜けるための4段階の方法をアドバイスされました。今週は、チョコレートであれ、カプチーノであれ、メールのチェックであれ、あなたが最も手を焼いている欲求にうまく対処するために、次の方法を試してください。

①誘惑や欲求を感じていることに気づきましょう。
②すぐに気をまぎらわそうとしたり否定したりせず、自分の欲求や気持ちを素直に受け入れましょう。シロクマのリバウンド効果を思い出してください。
③落ち着いて考えましょう。思考や感情は必ずしも自分でコントロールできないとしても、それに対してどう行動するかは自分で選択することができる、と認識しましょう。
④大事な目標を思い起こしましょう。実験に参加した学生がキスチョコを食べないという決心を思い出したように、あなたが大事な目標を達成するために、自分で決めて守っていることを思い出しましょう。

## 「禁止」を「実行」に変えればうまくいく

太りそうな食べ物を禁止しなくても、体重を減らしたり健康を改善したりすることはできるのでしょうか？　ある新しいアプローチによれば、それは可能です——とはいえ、寝ているあいだに脂肪燃焼を促すとか、バーベルさえ持ち上げられるようになるとかいう、眉唾《まゆつば》モノの魔法のお薬のことではありません。

ケベックのラヴァル大学の研究者たちは、「何を食べるべきか」に注目した独自の方法を研究しています。そのプログラムでは、食べてはいけない食品のリストを配布することもなければ、カロリー制限もとやかく言いません。そのかわり、食品によって私たちはどれほど健康になり、喜びを得ることができるかということを強調しています。

また、参加者には、健康を改善するために運動をはじめとして「自分自身で何ができるか」を考えてもらいます。あれをしてはいけない、これを食べてはいけない、という考え方はしないわけです。

要するに、このプログラムは「やらない力」のチャレンジを「やる力」のチャレンジに変えたものです。食欲に対して戦いを挑むのではなく、健康を追求することをミッションにしています。

こうしたアプローチによる数々の実験は、「やらない力」を「やる力」に変える方法に効果があることを示しています。この実験によって参加者の3分の2は体重が減少し、16カ月後の追跡調査でも減ったままの体重を維持していました（最近あなたが行なったダイエットと比較してみてください。ダイエットをしても、だいたい16日間で元の体重に戻ってしまうものです）。

また、参加者たちは、プログラムを修了したあとは食べ物に対する欲求を以前ほど感じなくなったと報告しています。さらに、ストレスのせいでやけ食いをしたり、お祝いごとの席でつい調子に乗って食べすぎたりするようなことがなくなってきたと話しています。ここで強調しておきたいのは、食べ物について最も柔軟な態度を取れるようになった女性たちの体重がいちばん減ったということです。あれこれと禁止するのをやめたら、みさかいなく食べるどころか、以前よりもずっと食欲をコントロールできるようになったのでした。

## 意志力の実験 「やらない力」を「やる力」に変える

「やらない力」のチャレンジを「やる力」のチャレンジに変えて成功した例は、ダイエットをしない人にもおおいに参考になるはずです。あなたにとって最大の「やらない力」のチャレンジについて、次のどれかの方法を試し、以前とは逆の方向から攻めてみましょう。

**・同じ目的を達成するにしても、何かを「やらない」ようにする以外に、どんな方法があるでしょうか？**

悪い習慣の大半は、ストレスを発散したいとか、楽しみたいとか、仲間受けをよくしたいとか、何らかの効果を求めての行動です。悪い習慣をやめようと意識するより、目先を変えて新しい（できればもっと健康的な）習慣を始めてみましょう。ある受講生はコーヒーをやめて紅茶を飲むことにしました。紅茶のもたらす効果も、コーヒーにまったくひけを取りません。休憩をとる口実にもなりますし、力も湧いてくるし、どこでも買えます。しかも、カフェインの量はコーヒーよりも少ないのです。

**・悪い習慣で時間をムダにしなければ、その時間を使ってどんなことができるでしょうか？**

依存症になるほど何かにのめりこんだり、気晴らしにふけったりすれば、時間もエネルギーも取られてしまうので、それをやらなければできたはずのことが、できなくなってしまいます。ときにはそのような、「本来ならやれるはずなのにできていないこと」に注目するほうが、悪い習慣をやめようとするよりも、やる気が起きるかもしれません。

ある受講生の女性は、テレビのリアリティ番組に夢中になりすぎて、時間をムダにしていると感じていました。その時間を使って達成すべき目標を設定したおかげで――もっと料理上手になることです――彼女はテレビを消すことに成功しました（まず、リアリティ番組を見るのをやめて、料理番組を見ることにしました。やがて、とうとうテレビの前から腰を上げ、キッチンに立ちました）。

**・あなたの「やらない力」のチャレンジを定義し直して「やる力」のチャレンジに変えることはできますか？**

まったく同じことをするのでも、ときには2通りのやり方を考えることが可能です。たとえば、ある受講生の男性は「遅刻しない」という目標を「一番乗りで到着する」もしくは「5分前に到着する」という目標に置き換えることにしました。

たいしたちがいはないように思うかもしれませんが、そのおかげで彼は以前よりもずっとやる気が出ました。時間通りに到着したら「レースに勝った」と思うことで、めったに遅刻しなくなりました。やってはいけないことよりも、むしろやりたいことに注目すれば、皮肉なリバウンド効果を避けることができます。

この方法を試してみようと思ったら、今週は「～しない」ではなく「～する」というポジティブな行動に取り組みましょう。そして、1週間続けたあとに、もとの「やらない力」のチャレンジを行なった場合と、今回のように「やる力」のチャレンジに変えて行なった場合の、それぞれの効果をふり返って比較してみましょう。

## 「衝動」を観察して自制心を強化する

ワシントン大学の嗜癖《しへき》行動研究センター（ABRC）の研究科学者セアラ・ボーウェンは、周到な計算のもとに拷問部屋を完成させました。ごくふつうの会議室に、12名着席できる細長いテーブルが置いてあります。窓はふさがれ、壁に貼ってあったものもすべて撤去されているので、実験の参加者たちが気を散らすこともないでしょう。

やがて、参加者が順番に到着しました。ボーウェンの指示で好きな銘柄のタバコを未開封のまま持参しています。この人たちは禁煙したいと思いながら、なかなかやめられません。ボーウェンは参加者がニコチン切れの状態で実験に臨むよう、実験前の12時間は喫煙を控えるように指示していました。そんなわけで、みんなすぐにでも一服したいにちがいありませんが、とにかく全員がそろうのを待たなければなりません。

喫煙者が勢ぞろいすると、ボーウェンは全員を着席させました。すべての椅子は壁に向けられており、参加者はお互いの顔を見ることもできません。本や携帯電話、食べ物や飲み物など、持ち物はすべてしまうように指示され、質問に答えるための紙とエンピツが配布されました。そして、何があってもお互いに話しかけないようにと注意されました。いよいよ拷問の始まりです。

「タバコの箱を手に取って、ながめてください」ボーウェンが言いました。全員、指示に従います。「では、箱を叩いて」喫煙者の習慣で、タバコの中身の葉を均一にするためです。「セロファンをはがしてください」指示は続きます。「では、箱を開けましょう」ひとつずつ、ボーウェンの指示に従って進んでいきます。開けたてのタバコの香りを深く吸い込み、タバコを1本取り出してじっと見つめ、匂いをかぎます。次に、タバコを口にくわえます。そして、ライターを取り出します。ライターをタバコに近づけますが、火はつけません。このような手順をひとつ進めるたびに、参加者は数分間もじっと待たなければなりません。

「みんなつらそうでした」ボーウェンは私に言いました。「早く吸いたいって顔に書いてありましたからね。気を紛らそうとして、みんないろんなことをしていましたよ。エンピツをいじったり、そわそわしながら周りを見回したり」

ボーウェンは参加者たちが苦しんでいる様子を見て楽しんでいたわけではありませんが、参加者には禁煙を断念したくなるほどの激しい欲求を感じてもらう必要がありました。ボーウェンの真の目的は、喫煙者はちゃんと注意していればタバコを吸いたい欲求に打ち勝つことができるのかどうかを探ることでした。

この拷問テストの前に、参加者の半数は「欲求の波を乗り越える」というテクニックを学ぶための短いトレーニングを受講しました。喫煙者たちは、タバコを吸いたくなったら、ムリに他のことを考えようとしたり打ち消そうとしたりせず、吸いたい気持ちをじっと観察するようにと指示されました。これまでにも見てきたとおり、心配ごとがあったり、食べたいのを我慢したりするときにも、かなり効果的な方法です。

気を紛らそうとしたり、衝動が消えることを祈ったりせず、自分の心のなかの衝動をじっと見つめます。そうするうちに、どんな考えが浮かんでくるでしょうか？　タバコを吸いたいという衝動に対し、体にはどんな反応が表れてくるでしょうか？　胃がムカムカしたり痛んだりするでしょうか？　肺や喉に緊張を感じるでしょうか？

ボーウェンは喫煙者らに対し、衝動というものは、こちらがそれに負けようと負けまいといずれ去っていくと説明しました。ですから、強い衝動を感じたときには、頭のなかで大きな波を思い浮かべます。波はうねってものすごい高さになりますが、やがて砕け散って消えてしまいます。喫煙者たちは、自分がみごとに波に乗っている姿を想像しました。波に対して抵抗もせず、かといって呑まれることもありません。ボーウェンはこのトレーニングを受けた参加者らに対し、あとで行なう拷問テストの際には、この欲求の波を乗り越えるテクニックを試すようにと指示しました。

1時間半後、喫煙者たちは苦しみをさんざん味わったあげく、ようやくボーウェンの拷問部屋から解放されました。実験を終了する際、ボーウェンは参加者らにタバコの量を減らすように指示したわけでもなければ、欲求の波を乗り越えるテクニックを日常生活で試すようにとも言いませんでした。ボーウェンがたったひとつ指示したのは、つぎの1週間、タバコを吸った本数を毎日記録し、そのときはどんな気分だったか、そして、タバコを吸いたい衝動はどの程度だったかもあわせて記録するように、ということでした。

両グループとも、実験直後の24時間の喫煙量には変化はありませんでした。しかし、2日目からは、欲求の波を乗り越えるテクニックを学んだグループの人びとは、タバコの量が減っていきました。7日目になっても、もうひとつのグループには何の変化も見られませんでしたが、テクニックを学んだグループでは、喫煙量が37パーセントも減少していました。タバコを吸いたいという自分の欲求を冷静に見つめたことが、禁煙へ向かって前進するのに役立ったといえるでしょう。

また、ボーウェンは喫煙者の気分とタバコを吸いたくなる衝動の関連性にも注目しました。驚いたことに、欲求の波を乗り越えることをおぼえた喫煙者たちのあいだでは、気分がむしゃくしゃしたせいでタバコを吸ってしまう、という典型的なパターンが見られなくなりました。ストレスのせいでいつのまにかタバコに火をつけてしまうことがなくなったのです。これは欲求の波を乗り越えるテクニックがもたらす効果のひとつです。嫌なことや大変なことがあっても、それを受けとめて対処することができるようになり、気晴らしに不健康なことをする必要を感じなくなります。

## 意志力の実験　「欲求の波」を乗り越える

どんな誘惑であれ、欲求の波を乗り越えることができれば、誘惑に負けずにやりすごすことができます。

衝動に襲われたら、まずは落ち着いて、自分の体がどのように反応しているかに注意しましょう。衝動はどんな感覚をもたらしますか？　熱い感じですか、それともヒヤリとしますか？　体のどこかに緊張を感じる部分はありますか？　心拍数や呼吸やお腹の調子に変化はありますか？　少なくとも1分間はそうやって体の様子を観察しましょう。

そして、そのような体に感じる感覚が強くなったり弱くなったりするか、あるいは何か別の感覚が生まれるかどうか観察しましょう。衝動に従わずにいると、ますますその衝動が激しさを増すことがあります。まるで注意を引こうとしてかんしゃくを起こす子どものようです。そんな激しい衝動を感じながらも、頭からムリに追い払おうとせず、かといって衝動に従いもせず、乗り切れるかどうか試してみましょう。

欲求の波を乗り越える練習として、呼吸もおおいに役に立ちます。呼吸の感覚に意識を集中し、息を吸ったり吐いたりしながら、どんな感じがするかを体で感じましょう。欲求の波を乗り越えながら、同時にそれを行なうのです。

この練習を始めたばかりのうちは、欲求の波を乗り越えたつもりでも、結局は波に呑まれてしまうかもしれません。ボーウェンの喫煙に関する実験でも、参加者はみんな拷問部屋を出たとたんにタバコを吸っていました。ですから、たとえ最初の数回はうまくいかなかったとしても、それだけでこのアプローチには効果がないと決めつけてはいけません。自己コントロールを身につけるには時間が必要であり、欲求の波を乗り越えることも、時間をかけて習得するスキルです。

え？　欲求にかられるまえに少し練習をしておきたい？

そういうことなら、じっと座ってみてください。そうして鼻のわきをかきたくなったり、脚を組みたくなったり、どこかに寄りかかりたくなったりしたら、例のテクニックを利用します。何かをしたい衝動にかられても、まずはその衝動をじっと感じて、すぐに負けないようにしましょう。

## 意志力に最も大切な3つのこと

欲求を受けとめる効果を試そうと思うなら、欲求の抑圧の反対は自分を甘やかすことではない、ということを肝に銘じておく必要があります。この章で見てきた成功例（自分の不安や欲求を認めたり、さまざまな制限を強いるダイエットをやめたり、欲求の波を乗り越えたり）は、いずれも、内的体験をコントロールしようとするような無茶なまねはやめるべきであることをはっきりと示しています。

だからといって、自分が最も不安になるような考えを信じなさい、無分別な行動をしなさいと言っているわけではありません。社交不安の人は家に閉じこもって悩んでいればいいとか、ダイエットなんかやめて朝も昼も夜もジャンクフードを食べればいいなんてことは誰も言っていません。

この章で紹介した方法は、いろいろな意味で、意志力はどのように働くかということについて私たちが学んできたことの集大成です。これらの方法がうまくいくかどうかは、私たちが自分自身に冷たい目を向けたりせず、興味をもって見つめることができるかどうかにかかっています。

うまくいけば、意志力の最大の敵である誘惑や自己批判やストレスに対処することができます。そして、自分がほんとうに望んでいるものを思い出し、そのためには困難なことでもなしとげる力を見いだすことができます。この同じ基本のアプローチが、憂うつから薬物依存症までじつに幅広い意志力のチャレンジに役立つという事実は、３つのスキル――自己認識、セルフケア、自分にとって最も大事なことを忘れないこと――が、自己コントロールの基盤であることを示しています。

## 最後に

思考や感情をコントロールしようとするのは、多くの人の期待に反して逆効果をもたらします。けれども、私たちの多くはそれに気づこうとせず、失敗してもなおまちがった方法にしがみつきます。望ましくない考えや感情を頭から追い払おうとしてますますムキになりますが、そんなふうにして自分の心を危険から守ろうとしてもムダなのです。

ほんとうに心の平安を望み、自己コントロールを向上させたいなら、頭に浮かんでくる考えをコントロールすることは不可能だという事実を受け入れる必要があります。私たちにできるのは、自分が何を信じ、何に従って行動するかを選択することです。

## 第9章のポイント

思考や感情や欲求を抑えつけようとするのは逆効果で、そうするとかえって自分がどうしても避けたいと思っていることを考えたり、感じたり、行なったりしてしまうことになる。

### マイクロスコープ

▶「皮肉なリバウンド効果」を検証する

あなたにも、何か考えないようにしていることはありますか?　思考を抑えつけようとした場合、効果はありますか?　それとも、ある考えを頭から追い払おうとすると、かえってそのことを強く意識してしまいますか?

▶自分に何を禁じていますか?

自分に対して何かを禁止したことによって、かえってそれが欲しくなってしまったことがありますか?

### 意志力の実験

▶欲求を受け入れる――ただし、従わないで

欲求を感じたら、落ち着いてそれを認めましょう。すぐに気を紛らそうとしたり、否定したりしてはいけません。シロクマのリバウンド効果を思い出してください。欲求に負けないように、自分にとって大事な目標を思い起こしましょう。

▶「やらない力」を「やる力」に変える

「〜しない」というチャレンジを、「〜する」という「やる力」のアプローチに変えてみましょう。そうして、「やらない」と決めていたときとの効果のちがいを観察しましょう。

▶「欲求の波」を乗り越える

欲求を感じたら、体でどのような反応が起きているか、その感覚に意識を向けましょう。欲求を頭から追い払おうとせず、なおかつ欲求に従って行動することなく、欲求の波を乗り越えましょう。

# 第10章 おわりに

## ——自分自身をじっと見つめる

セレンゲティのサバンナでサーベルタイガーに追いかけられながら、私たちは旅を始めました。本書も残り数ページとなり、私たちの旅も終わりに近づいています。旅の途中では、チンパンジーが驚異的な自制心を発揮したかと思えば、多くの人が理性を失ってしまう姿も目にしました。数々の研究所を訪ね、ダイエット中の人たちがチョコレートケーキに必死に抵抗する姿や、神経科学者によって解明された報酬を期待する脳の働きが、神経学マーケティングに利用されている様子も目撃しました。

行動を変えるためのモチベーションを向上させるさまざまな方法も学びました。プライド、自分を許すこと、エクササイズ、瞑想、仲間どうしの励まし合い、お金、睡眠など、じつにいろいろな方法がありました。また、科学の名においてラットに電気ショックを与えたり、喫煙者を苦しめたり、4歳の子どもをマシュマロで誘惑したりするような心理学者たちにも出会いました。

この旅が読者のみなさんにとって、科学の素晴らしい世界を垣間《かいま》見る機会となっただけでなく、多くの収穫をもたらすように祈っています。私たちはそれぞれの研究事例から、自分自身や意志力のチャレンジについて学ぶことができます。そして、自分がどの程度の自制心を持ち合わせているかを認識することもできます——ときには思うように発揮できないこともあるとしても。

また、研究事例を自分の身にあてはめてみることで自分の欠点に気づき、それを克服する方法を知ることができます。そうしたなかで、人間らしさとはどういうものかもわかってくるでしょう。

たとえば繰り返し見てきたように、私たちのなかにはひとりではなく何人もの自己が存在します。ひとりの人間のなかには、目先の快楽に走ろうとする自己と、もっと大事な目標を忘れない自己が存在します。私たちは生まれつき誘惑されやすくできていながら、いっぽうで抵抗する力ももっています。ストレスや恐怖を感じたり、理性を失ったりするのも人間らしいことなら、ぐっと踏みとどまって冷静さを保ったり、よく考えて選択したりするのも、同じくらい人間らしいことです。

自己コントロールとは、そのような自分自身のさまざまな一面を理解できるようになることであり、まったくちがう人間に生まれ変わることではありません。自己コントロールの探求においては、私たちが自分に向かってふりかざすおきまりの武器——罪悪感、ストレス、恥の意識——は何の役にも立ちません。しっかりと自分をコントロールできる人は、自分と戦ったりはしません。自分のなかでせめぎ合うさまざまな自己の存在を受け入れ、うまく折り合いをつけているのです。

自己コントロールを強化するための秘訣があるとすれば、科学が示しているのはただひとつ、注意を向けることがもたらす力です。すなわち、行動を選択すべきときはそれをしっかりと意識して、ただ漫然と惰性に従って行動しないように注意すること。

言い訳をして物事を先延ばしにしたり、よいことをしたのをいいことに自分を甘やかそうとしているのに気づくこと。

報酬の予感は必ずしも報酬をもたらすとは限らない、そして将来の自分はスーパーヒーローでもなければ赤の他人でもないと認識すること。

身の周りのどんなものが——販売戦略からソーシャルプルーフまで——自分の行動に影響を与えているかを見極めること。

いっそ分別など捨てて誘惑に負けてしまいたいようなときに、ぐっと踏みとどまって自分のなかの欲求を静かに見つめること。

そして、自分がほんとうに望んでいることを忘れず、どうすれば心からうれしく思えるかをわきまえていることでもあります。

このような自己認識は、自分が困難なことや最も大事なことを行なうときに、つねに力を貸してくれます。それこそ、意志力とは何たるかを最もよく表しているでしょう。

## 最後に

科学的な探究の精神にのっとって、私は「意志力の科学」の講座の最後に受講生たちに必ず質問します。これまでに学んだことや試してきた実験のなかで、とりわけ印象に残っていることを訊くのです。最近、科学者の友人がいみじくもこう言いました。科学的な思想に関する本にふさわしい結び方があるとすれば、それは「あなた自身の結論を導いてください」ということにほかならないだろう、と。そこで、最後にひとこと述べたい誘惑にかられながらも、「やらない力」をふりしぼってみなさんに質問します。

・意志力や自己コントロールについてのあなたの考えは変わりましたか？
・どの意志力の実験があなたにとって最も役に立ちましたか？
・〝目からウロコ〟の瞬間を味わったのはどんなときでしたか？

・これからも実践しようと思っていることは何ですか？

どうぞこれからも科学者のようなものの見方で臨んでください。新しい方法をどんどん試し、自分自身のデータを集め、得られた事実をじっくりと観察しましょう。

あっと驚くようなアイデアにもつねに心を開き、失敗と成功の両方から学んでください。効果のある方法を継続し、学んだことを他の人たちと分かち合いましょう。

さまざまな人間らしい矛盾を抱え、誘惑にあふれた現代に生きる私たちにとっては、それが自分にできる最善のことです。しかし、好奇心と自分への思いやりを忘れずにそれを行なっていけば、充分すぎるほどの見返りがあるでしょう。

# 訳者あとがき

ケリー・マクゴニガルは、スタンフォード大学の新進気鋭の心理学者です。本書のベースとなった「意志力の科学」をはじめ、「思いやりの科学」「マインドフルネスの科学」など興味深い授業を展開していますが、なかでも「意志力の科学」は〝人生を変える授業〟と絶賛され、大人気を博しています。そんなマクゴニガルの授業は高い評価を受け、スタンフォード大学で最も優秀な教職員に贈られるウォルター・J・ゴアズ賞をはじめ数々の賞を受賞しました。CBSやCNN、「タイム」、「USAトゥデイ」などメディアで広く取り上げられ、2010年には「フォーブス」の「人びとを最もインスパイアする女性20人」にも選ばれています。今後さらなる活躍が期待される注目のリーダーです。

講座「意志力の科学」では、心理学、神経科学、医学の各分野から自己コントロールに関する最新の見解をわかりやすく説明し、意志力を強化するためのさまざまな戦略を紹介します。各受講生は「なりたい自分」になるための身近な目標を設定し、その目標を達成するために、授業で学んだ戦略を次の授業までの1週間、実生活において試すという「実験」を行ないます。その結果、自分にとってどの戦略が効果的だったかについて、受講生たちは教室のみんなの前で熱心にフィードバックを行ないました。そして、試行錯誤を繰り返しながらも、ついには目標を達成し、「なりたい自分」に一歩ずつ近づいていきました。

本書は講座と同じく10週間のプログラムとして構成されています。本書を読みながら、各章の戦略を受講生のようにひとつずつ試して「実験」を行なっていけば、自分にとって最適な自己コントロールの方法を発見することができます。

意志力というと、「意志あるところ道は開ける」「精神一到何事か成らざらん」などのことわざが思い浮かび、とかく精神論に傾きがちです。

けれども、意志力の問題はすべての人に共通の悩みであり、意志力を強化することは精神論とは無縁であることを、マクゴニガルは科学的にはっきりと示しています。意志力を強くするために必要なのは、失敗に対する罪悪感や自己批判ではなく、自分に対する思いやりと、自分の心と体の反応を科学者の目で観察することだと説いています。そして、思考や感情を抑えつけたり、欲求を頭から否定したりせず、行動をコントロールする方法を身につけることが重要だと述べています。つまり、エクササイズのように正しい方法を実践すれば、意志力を鍛える方法を身につけることができるのです。

心身相関（心と体の関係）を重視するマクゴニガルは、ヨガ、瞑想、統合医療に関する学術専門誌「インターナショナル・ジャーナル・オブ・ヨガ・セラピー」の編集主幹を務めています。授業や活発な講演活動のあいまに、みずからヨガや瞑想、グループ・フィットネスのクラスを教えており、まさに実践の人です。前著、『ケリー・マクゴニガルの痛みを癒すヨーガ』（ガイアブックス）では、神経科学および医学の最新の知見を、慢性の痛みやストレス、憂うつ、不安の緩和に役立てる方法を示しています。本書にも意志力を鍛える方法のひとつとして、瞑想の呼吸法を利用したテクニックが紹介されていますが、実践に基づいているだけあって非常に説得力があります。

本書は自分の意識と行動を変え、「なりたい自分」になるためのきわめて実践的な本です。本書を訳しながら、シンプルでわかりやすい説明や、親しみやすくウィットに富んだ語り口に、人びとの痛みや悩みに寄り添う著者の姿勢を感じました。また、受講生たちのエピソードからは、自分についてさまざまな発見をし、「なりたい自分」になれた興奮と喜びが伝わってきました。読者のみなさまにも、「スタンフォードの自分を変える教室」の興奮と喜びを味わっていただければ幸いです。

２０１２年10月

神崎朗子

# 文庫版訳者あとがき

『スタンフォードの自分を変える教室』は、２０１２年10月の刊行直後からまたたく間に話題の書となり、２０１３年ビジネス部門年間ベストセラー第1位（日販・トーハン調べ）を獲得、ビジネス書大賞２０１３では優秀翻訳ビジネス書賞／総合第1位などを相次いで受賞し、60万部のベストセラーとなりました。本書は世界20カ国で刊行され、各国でベストセラーとなっており、著者のケリー・マクゴニガル博士は健康心理学者として世界的に注目を集めています。

２０１３年1月末には、マクゴニガルさんが初来日。記念講演には申し込みが殺到し、中学生から高齢者まで５００名の聴衆が講演に聴き入り、活発な質疑応答が行われました。著者の滞在中はわたしもずっと同行しましたが、まさに鉄の意志力で、時差ボケにもめげず、過密な取材スケジュールを笑顔で精力的にこなす姿が印象的でした。同年11月の再来日の際は、さらに多くの講演や新聞・雑誌の取材に応じた結果、経済誌の連載がスタートし、語学雑誌、健康雑誌等で特集が組まれ、関連書籍が発売されるなど、マクゴニガルさんに対する多方面からの関心の高さが窺えました。

また、多くの経営者やビジネスリーダーが本書を推薦しています。どんな人にとっても目標を達成し、なりたい自分になるためには、意志力と地道な努力の積み重ねが必要です。そのためには自分を追い詰めず、失敗や挫折は人間なら誰でも経験するもので、成功への道のりだと考えること。心と体の働きを理解して、自分の行動を客観的に見つめ、望ましい行動を取れるように自分を導くことが重要だということを、科学的にわかりやすく述べている点が、多くの読者の支持を得ているのではないでしょうか。これからも本書が幅広い層の人びとに長く読み継がれることを、訳者として願ってやみません。

ケリー・マクゴニガルさんの待望の新刊、『スタンフォードのストレスを力に変える教科書』が、10月に刊行されます(大和書房、拙訳)。同じテーマのTEDプレゼンテーション「ストレスと上手につきあう方法」は、NHK「スーパープレゼンテーション」で放映され、日本でも大きな話題を呼びました。どうぞご期待ください。

最後に、素晴らしい本と著者との出会いをくださった三浦岳さん、文庫化にあたりお世話になった鈴木萌さんをはじめ、大和書房のみなさまに心よりお礼申し上げます。

2015年8月

神崎朗子

**ケリー・マクゴニガル**

スタンフォード大学で博士号（心理学）を取得。スタンフォード大学の健康心理学者。心理学、神経科学、医学の最新の知見を用いて、人びとの健康や幸福、成功、人間関係の向上に役立つ実践的な戦略を提供する「サイエンス・ヘルプ」のリーダーとして、世界的に注目を集める。メディアでも広く採り上げられ、「フォーブス」の「人びとを最もインスパイアする女性20人」に選ばれている。TEDプレゼンテーション「ストレスと上手につきあう方法」は900万回超の再生回数を記録。著書に、『DVDブック　最高の自分を引き出す法』（大和書房）などがある。

**神崎朗子**（かんざき・あきこ）

翻訳家。上智大学文学部英文学科卒業。訳書に『フランス人は10着しか服を持たない』『申し訳ない、御社をつぶしたのは私です。』（ともに大和書房）、『ぼくたちが見た世界——自閉症者によって綴られた物語』（柏書房）などがある。

だいわ文庫

# スタンフォードの自分《じぶん》を変《か》える教室《きょうしつ》

著者　ケリー・マクゴニガル
訳者　神崎朗子《かんざきあきこ》


二〇一五年一〇月一五日第一刷発行
二〇一八年八月一五日第一一刷発行

発行者　佐藤 靖
発行所　大和《だいわ》書房
東京都文京区関口一－三三－四 〒一一二－〇〇一四
電話 〇三－三二〇三－四五一一

フォーマットデザイン　鈴木成一デザイン室
本文印刷　シナノ
カバー印刷　山一印刷
製本　ナショナル製本

ISBN978-4-479-30558-3
乱丁本・落丁本はお取り替えいたします。
http://www.daiwashobo.co.jp